Infographie : Chantal Landry
Révision : Sylvie Massariol
Correction : Élyse-Andrée Héroux et Chantale Landry
Les photos de ce livre sont de :
IStock : Pages 94, 149, 150, 193.
Shutterstock : Pages 9, 10, 22, 45, 46, 70, 81, 82, 112, 122, 132, 168, 184, 194, 206, 217, 222.

Catalogage avant publication de Bibliothèque et Archives nationales du Québec et Bibliothèque et Archives Canada

Vallières, Suzanne, 1967-

Les psy-trucs : pour les préados de 9 à 12 ans

(Parents aujourd'hui)
Comprend des réf. bibliogr.

ISBN 978-2-7619-3154-0

1. Préadolescents - Psychologie. 2. Éducation des enfants. 3. Parents et enfants. I. Titre. II. Collection: Parents aujourd'hui.

HQ777.15.V34 2011    649'.124    C2011-941927-0

Gouvernement du Québec – Programme de crédit d'impôt pour l'édition de livres – Gestion SODEC –
www.sodec.gouv.qc.ca

L'Éditeur bénéficie du soutien de la Société de développement des entreprises culturelles du Québec pour son programme d'édition.

Le Conseil des Arts du Canada
The Canada Council for the Arts

Nous remercions le Conseil des Arts du Canada de l'aide accordée à notre programme de publication.

Nous reconnaissons l'aide financière du gouvernement du Canada par l'entremise du Fonds du livre du Canada pour nos activités d'édition.

09-11

Dépôt légal : 2011
Bibliothèque et Archives nationales du Québec

ISBN 978-2-7619-3154-0

DISTRIBUTEURS EXCLUSIFS :

- Pour le Canada et les États-Unis :
  **MESSAGERIES ADP\***
  2315, rue de la Province
  Longueuil, Québec J4G 1G4
  Tél. : 450 640-1237
  Télécopieur : 450 674-6237
  \* filiale du Groupe Sogides inc.,
  filiale de Quebecor Media inc.

- Pour la France et les autres pays :
  **INTERFORUM editis**
  Immeuble Paryseine, 3, Allée de la Seine
  94854 Ivry CEDEX
  Tél. : 33 (0) 1 49 59 11 56/91
  Télécopieur : 33 (0) 1 49 59 11 33
  **Service commandes France Métropolitaine**
  Tél. : 33 (0) 2 38 32 71 00
  Télécopieur : 33 (0) 2 38 32 71 28
  Internet : www.interforum.fr
  **Service commandes Export – DOM-TOM**
  Télécopieur : 33 (0) 2 38 32 78 86
  Internet : www.interforum.fr
  Courriel : cdes-export@interforum.fr

- Pour la Suisse :
  **INTERFORUM editis SUISSE**
  Case postale 69 – CH 1701 Fribourg – Suisse
  Tél. : 41 (0) 26 460 80 60
  Télécopieur : 41 (0) 26 460 80 68
  Internet : www.interforumsuisse.ch
  Courriel : office@interforumsuisse.ch
  **Distributeur : OLF S.A.**
  ZI. 3, Corminboeuf
  Case postale 1061 – CH 1701 Fribourg – Suisse
  **Commandes :** Tél. : 41 (0) 26 467 53 33
  Télécopieur : 41 (0) 26 467 54 66
  Internet : www.olf.ch
  Courriel : information@olf.ch

- Pour la Belgique et le Luxembourg :
  **INTERFORUM BENELUX S.A.**
  Fond Jean-Pâques, 6
  B-1348 Louvain-La-Neuve
  Téléphone : 32 (0) 10 42 03 20
  Télécopieur : 32 (0) 10 41 20 24
  Internet : www.interforum.be
  Courriel : info@interforum.be

SUZANNE VALLIÈRES

# Les Psy-trucs

pour les préados
de 9 à 12 ans

LES ÉDITIONS DE
L'HOMME

Une compagnie de Quebecor Media

*Je dédie ce livre à mes belles-sœurs Joëlle et Nathalie.*
*Vous qui êtes au cœur de l'éducation avec votre petite marmaille...*

*Nos échanges, nos discussions, nos partages sur la vie et l'éducation*
*sont toujours un plaisir pour moi et d'une richesse incroyable.*
*Quelle chance d'avoir cette complicité avec vous deux!*

*Affectueusement*
*Suzanne xx*

# Préface

Quelle belle période que celle des tweens, nouvelle catégorie d'âge et de développement... et un très bon terrain de pratique pour l'adolescence ! À cette étape de la vie, la présence des parents reste essentielle, mais, les racines étant solides, les jeunes peuvent ouvrir leurs ailes pour vivre plein de passions, de découvertes, d'expériences de socialisation avec les pairs. Ils consolident aussi leur identité sexuelle ; c'est l'âge où l'on trouve les membres du sexe opposé un peu niaiseux ou futiles, et où l'on se regroupe entre nous avec plaisir. De notre côté, nous devons inciter nos préadolescents à participer aux activités et aux vacances familiales, les encourager à faire du sport et des activités parascolaires avec des jeunes de leur âge.

Nous devons toutefois résister à faire vieillir trop rapidement nos préadolescents, même à leur demande, puisque chaque étape escamotée devra être « reprise » plus tard. Surtout, nous devons les laisser être plutôt que paraître, car dès l'adolescence, ils deviendront la cible, notamment, des entreprises de produits de beauté et de la lutte contre les rides ! Tout va trop vite et il n'en tient qu'à nous, adultes, de ralentir la cadence, de vivre, en même temps qu'eux, le moment présent comme s'il était le dernier.

À la préadolescence, les jeunes adhèrent encore facilement aux bonnes habitudes alimentaires et à une saine hygiène de vie... à condition que nous, parents, y participions activement. Il est important que ces deux aspects soient bien enracinés à cette étape de la vie, afin que la bataille liée à la révolte adolescente ait lieu sur un terrain non néfaste pour la santé et qu'elle n'engendre pas de comportements autodestructeurs. Ce sont les dernières bonnes années, celles de l'harmonie, avant le tourbillon émotif de l'adolescence. En fait, nous sommes ici en zone tampon, prêts à faire vivre à nos jeunes plein de nouvelles expériences pour *leur permettre de découvrir leurs passions, tant pour la cuisine que pour les dinosaures, tout en leur inculquant des valeurs solides, les nôtres, bien sûr.*

*C'est ce que nous aide à faire ce livre de mon amie Suzanne, qui partage avec nous tant ses connaissances scientifiques et son expérience clinique que son humanisme, son gros bon sens et, surtout, son sens de l'humour. J'espère que vous aurez le même plaisir que moi à le lire et à diffuser les enseignements qu'il contient.*

*Bonne lecture !*

CHRISTIANE LABERGE, md

# La puberté, une période de grands changements

*Les questions que tout parent se pose :*

* En quoi consiste la puberté ?
* À quel âge mon enfant commence-t-il sa puberté ?
* Quels sont les changements physiques et psychologiques liés à la puberté ?
* Pourquoi l'image corporelle est-elle si importante à cet âge ?
* Comment aider mon jeune à traverser sereinement cette période difficile ?
* Comment aborder la sexualité avec mon préadolescent ?

Du jour au lendemain, votre fils s'est transformé en géant et sa voix a mué. À certains moments, il peut vous faire un gros câlin et, quelques minutes plus tard, hurler de colère parce que vous êtes entré dans sa chambre sans frapper. Votre fille a eu ses premières règles, alors qu'il n'y a pas si longtemps, vous la voyiez encore jouer avec ses poupées. La raison de tout cela est bien simple : ils ont entamé cette période très importante de leur vie que nous appelons la « puberté ».

## En quoi consiste la puberté ?

Le terme « puberté » provient du latin *pubere*, qui veut dire « se couvrir de poils ». Ce processus, que vivent tous les êtres humains, nous amène vers la maturité — physique, mentale et sexuelle. C'est donc une transition entre l'enfance et le monde des adultes qui débute tout doucement, avant l'adolescence[1] proprement dite, et qui durera des années.

Cette fameuse puberté s'amorce lorsque les glandes sexuelles (ovaires ou testicules) commencent à libérer des hormones sexuelles. Le corps subit alors plusieurs transformations. On peut d'ailleurs observer de grandes différences physiques entre les préadolescents, selon l'âge auquel ils entament leur puberté : certains ont déjà fini de grandir, alors que d'autres sont encore très petits. Sur le plan de la maturité émotionnelle, les différences sont également notables : par exemple, certains sont encore très axés sur le jeu, tandis que d'autres pensent déjà aux relations amoureuses.

La puberté amène donc son lot d'émotions et de grands bouleversements physiques et psychologiques. Jamais, depuis sa première année de vie, l'enfant n'aura connu une période aussi intense et accélérée de changements physiques, sociaux et affectifs. Ce n'est donc pas une étape facile pour les jeunes. Les transformations qu'ils constatent dans leur corps suscitent chez eux une certaine remise en question, parfois même une inquiétude, et nécessitent de leur part une grande capacité d'adaptation.

Sur le plan psychologique, leurs besoins changent également : ils réclament de plus en plus qu'on leur fasse confiance, désirent « se garder » seuls, demandent de l'argent de poche et plus de liberté (se promener seuls à vélo, aller au centre commercial, etc.). En même temps, ils sont encore dépendants de leurs parents, ce qui est parfaitement normal. En fait, la préadolescence est souvent une très belle période : notre jeune est autonome, il n'a pas besoin d'être constamment surveillé et, si on lui refuse quelque chose, il n'argumente pas outre mesure, comme pourrait le faire un adolescent !

---

1. La préadolescence (de 9 à 12 ans environ) marque le début de la puberté, alors que l'adolescence (de 13 à 17 ans environ) en est le sommet.

## À quel âge mon enfant commence-t-il sa puberté ?

La puberté ne se déclenche pas au même moment pour tous les jeunes. Généralement, chez les garçons, elle a lieu entre 10 et 15 ans, alors que chez les filles, elle se produit entre 8 et 13 ans. Divers éléments peuvent influer sur l'âge de la puberté : des facteurs génétiques, les conditions de vie, la qualité et la quantité des aliments consommés, le degré d'activité physique et le poids. Il est à noter qu'il est scientifiquement prouvé que la puberté est de plus en plus précoce au fil des générations.

### La puberté précoce

La puberté marque la sortie de l'enfance, mais elle survient parfois plus tôt que prévu. On parle de puberté précoce quand elle se produit avant l'âge de 8 ans chez la fille et avant l'âge de 10 ans chez le garçon, un phénomène qui semble de plus en plus fréquent. Elle est cinq fois moins courante chez les garçons que chez les filles.

La puberté précoce chez le garçon a un grand impact sur son image sociale : elle lui permet souvent d'avoir un statut particulier auprès de ses pairs, qui ont encore une allure d'enfants. Comme le jeune fait « plus vieux que son âge », on est porté à lui accorder plus de liberté et à lui donner plus de responsabilités. Il a également plus de facilité dans les sports et développe plus aisément sa confiance en lui-même et son estime de soi.

Chez les filles, la puberté précoce peut se caractériser par un développement mammaire avant 8 ans, une poussée pileuse avant 9 ans ou les premières règles avant 10 ans. Les causes de cette précocité sont multiples, mais les plus connues sont liées aux conditions de vie et à la génétique. Toutefois, sur le plan social, ce phénomène n'a pas le même impact que chez les garçons. Trop grandes ou trop femmes pour leur âge, elles restent des gamines dans un corps qui paraît adulte ; elles ont ainsi tous les attributs de la séduction, alors qu'elles ne sont pas vraiment prêtes pour ça, et elles ont parfois du mal à gérer les malentendus qui peuvent survenir (mauvaises blagues, taquineries, avances...).

## La puberté retardée

On parle de puberté retardée quand un jeune passe la tranche d'âge de la puberté normale (15 ans chez les garçons et 13 ans chez les filles) sans présenter les changements physiques qui y sont associés. Plusieurs éléments peuvent expliquer ce retard (problèmes de santé, alimentation, notamment), mais, la plupart du temps, il n'est attribuable qu'aux antécédents familiaux. Dans ce cas, il n'est guère surprenant de découvrir qu'un oncle, une cousine ou un des parents a vécu la même situation. Ce n'est donc qu'une question de temps pour que le processus s'enclenche.

Puisque l'aspect physique et la comparaison avec les pairs sont très importants à la préadolescence, les conséquences d'une puberté retardée peuvent être notables, surtout sur les plans de la confiance en soi et de l'estime de soi.

## Quels sont les changements physiques et psychologiques liés à la puberté ?

Pendant la puberté, le corps commence à produire une plus grande quantité d'hormones sexuelles (œstrogènes chez les filles et testostérone chez les garçons), d'où l'apparition de changements physiques évidents dont les principaux sont :

*Chez les filles :*

* augmentation et changement d'apparence des seins ;
* début des pertes vaginales et des règles ;
* apparition de poils pubiens ;
* apparition de poils aux aisselles, aux jambes et aux bras ;
* changements au niveau de la peau (plus grasse ou acnéique) ;
* gain de poids ;
* odeurs corporelles plus prononcées.

*Chez les garçons :*

* ✳ apparition de poils pubiens ;
* ✳ apparition de poils partout sur le corps ;
* ✳ mue de la voix (voix plus grave) ;
* ✳ changements au niveau de la peau (acné ou peau plus grasse) ;
* ✳ développement des testicules et du pénis ;
* ✳ début des éjaculations nocturnes ;
* ✳ gain en taille et en masse musculaire ;
* ✳ odeurs corporelles plus prononcées.

La puberté et son flot d'hormones ont également des conséquences psychologiques sur notre enfant, qui est soumis à des changements parfois difficiles à gérer. Il peut tantôt « craindre » les transformations de son corps, tantôt être enthousiasmé par elles. Il peut se sentir maladroit, confus, adulte une journée, mais enfant le lendemain.

## La puberté et le besoin de sommeil

Certaines études le démontrent : il est important pour les parents de bien surveiller le sommeil de leur enfant et de s'assurer qu'il dorme suffisamment pour que sa puberté se passe dans de bonnes conditions. Son corps étant en pleine mutation, il a besoin de dormir beaucoup.

Tous ces changements ont donc une incidence sur le comportement ou sur le caractère de notre jeune, qui vit une forme de crise d'identité le poussant fréquemment vers des attitudes difficiles à gérer : irritabilité, timidité, agitation, fierté, écarts de conduite et multiples changements d'humeur. Les émotions se promènent souvent en montagnes russes, un aspect qui désarçonne bien des parents pris au dépourvu !

## Comment aider mon jeune à traverser sereinement cette période difficile ?

On l'a vu, la puberté entraîne des changements corporels et psychologiques importants. Les hormones abondent et le corps change, ce qui peut troubler quelque peu notre jeune préado. Ce n'est facile pour personne, pas davantage pour les parents ! Notre rôle en tant que parents consiste à être présents, à l'écoute et compréhensifs.

### L'image corporelle

Les jeunes âgés de 9 à 12 ans se préoccupent beaucoup d'être dans la norme de leur groupe, et cela persiste généralement jusqu'à 16 ou 17 ans. Les changements corporels qu'ils vivent peuvent chambarder cet équilibre et devenir une source de frustration, d'inquiétude, d'embarras et parfois de repli sur soi. Plus le jeune réussit à bien se sentir dans son corps, meilleures sont son estime de soi et sa confiance en lui-même. D'où l'importance, comme parents, d'être à l'écoute de notre préadolescent et de l'aider à accepter ces modifications et ces différences. *Il ne faut surtout pas faire de ces changements corporels une source de plaisanteries* (communes lors de réunions de famille, par exemple) ; même si les blagues semblent anodines, elles atteignent toujours l'estime de soi du jeune. Parce que son image de lui-même est très fragile à cet âge, il faut vraiment prêter attention à nos propos.

Voici quelques recommandations à ce sujet :

✳ Ne jamais faire de commentaires sur l'apparence physique de notre jeune en pleine puberté (poids, dentition, acné...).

✳ Ne jamais tolérer les commentaires désobligeants des autres à l'égard de notre jeune.

✳ Faire attention à la façon dont nous critiquons notre propre corps (les mères qui suivent un régime amaigrissant, etc.).

✳ Ne pas critiquer les gens ni les juger selon leur apparence physique (poids, beauté, etc.).

* Amener notre enfant à prendre conscience du fait que les modèles physiques véhiculés dans les médias (revues, publicité, télé, etc.) ne constituent pas une référence.

* Mettre l'accent sur les réussites scolaires, sportives, artistiques de notre jeune et sur les efforts qu'il fait dans tous les domaines de sa vie, *afin que son estime de soi ne soit pas centrée seulement sur l'image corporelle.*

Retenons que nos jeunes sont très sensibles face aux changements qu'ils vivent, à leur corps et, surtout, aux commentaires que l'on peut faire sur celui-ci. C'est encore plus important pour les filles, chez qui on observe un peu plus de cas de troubles alimentaires tels que l'anorexie et la boulimie. Il est important de soutenir nos jeunes durant cette période de changements intense et de les aider à développer une bonne estime de soi, une grande confiance en eux, du moins le temps que cette fameuse puberté ait fait son travail !

*L'humeur en montagnes russes !*
Les métamorphoses physiques qui accompagnent la puberté s'accompagnent aussi de changements sur le plan du caractère. Nos jeunes vivent une forme de crise d'identité amenant son flot d'agressivité, d'irritabilité, de timidité ou de multiples sautes d'humeur. C'est une période souvent difficile à vivre qui donne parfois lieu à des conflits avec les parents, surtout lorsque ces derniers adoptent une attitude rigide et contrôlante.

À la puberté, le jeune demande de plus en plus qu'on lui fasse confiance. Il a besoin d'autonomie et d'indépendance. Ainsi, à mesure qu'il grandit, on doit réévaluer les règles de conduite à la maison — par exemple, l'heure du coucher et les sorties — pour éviter que certains conflits apparaissent. Plus nos règles seront logiques et respecteront l'âge et le degré de maturité de notre enfant, plus ce dernier les respectera facilement. Adapter nos règles et trouver l'équilibre idéal entre l'autorité et la marge de confiance requise est un bon moyen de contribuer positivement à la puberté de notre jeune, de le guider progressivement et le plus sereinement possible vers l'adolescence.

## La puberté et la sexualité de notre préado

Les changements hormonaux qui surviennent à la puberté ont une grande incidence sur les pulsions sexuelles de nos jeunes, pulsions qu'ils découvrent et qui peuvent susciter chez eux de nombreuses interrogations. Les parents, évidemment, sont les premiers concernés par ces questions. Il est d'ailleurs indispensable qu'ils parlent avec leurs enfants de leur corps qui se transforme et de sexualité, qu'ils répondent à leurs questions, soulagent leurs angoisses et éliminent toute incompréhension. L'approche à utiliser n'est cependant pas toujours évidente. La pudeur est en jeu, d'un côté comme de l'autre, et nous ne voulons surtout pas brusquer les choses.

Chose certaine, *il est préférable que la mère parle à sa fille et que le père parle à son fils*. L'enfant se sentira plus en confiance avec le parent du même sexe qui a traversé la même chose (même si ce fut à une autre époque !) et qui s'est probablement posé les mêmes questions. Si l'un des parents est *absent* de la vie de l'enfant, il est recommandé de faire appel à une personne *significative* (un oncle proche, une amie de la famille, la conjointe ou le conjoint du parent, par exemple).

Chez les garçons, on pourra parler de la pilosité, de la mue et des pulsions sexuelles croissantes (éjaculations nocturnes) en expliquant que ce processus est bien normal. Le parent doit éviter de culpabiliser son fils, et pas question non plus de le taquiner, sans quoi il risque de se refermer !

Chez les filles, la mère devra se faire rassurante sur les sujets tels que la pilosité, les seins et, surtout, les premières règles. L'arrivée des règles peut être bouleversante pour une jeune fille. C'est un grand événement qui demande une bonne préparation.

**Parlez-leur de sexualité**

Il a été démontré que parler tôt de la sexualité ne conduit pas nos jeunes à des rapports sexuels plus précoces. Au contraire, plus ils sont conscients des différents aspects de la sexualité, moins ils expérimentent aveuglément, moins ils prennent de risques et plus ils respectent leur partenaire.

**La puberté et la masturbation**

À la puberté, la nature et la fréquence de la masturbation changent, tant chez les garçons que chez les filles. Malgré tout ce qu'on a pu en dire, la masturbation n'entraîne aucune conséquence négative, tant physique que psychologique. C'est une notion importante. Il faut dédramatiser le geste et déculpabiliser nos jeunes... tout en leur faisant comprendre que ce geste doit se faire dans l'intimité !

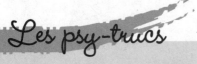

*Les psy-trucs*

1. Prendre conscience du fait que la puberté est une période intense et accélérée de changements physiques, sociaux et affectifs. Ce n'est pas toujours facile pour notre jeune.

2. Ne jamais faire de commentaires négatifs ou de plaisanteries sur les changements corporels (poils, acné, dentition, par exemple) de notre enfant.

3. Ajuster ou assouplir nos règles de vie pour répondre au besoin d'autonomie grandissant de notre préadolescent.

4. Être attentif et ouvert aux interrogations de notre jeune concernant la sexualité, afin de le préparer et de le rassurer (règles, éjaculations nocturnes).

5. Rester compréhensif et positif. Mettre l'accent sur les qualités et les forces de notre jeune afin de préserver son estime de soi, parfois si fragile à la puberté.

# Mon jeune est-il accro à la techno ?

## (Ordinateur, jeux vidéo, cellulaire...)

*Les questions que tout parent se pose :*

* Est-ce que cet engouement pour la techno est normal et généralisé ?
* Pourquoi les jeux vidéo sont-ils si populaires ?
* Est-ce normal d'avoir des craintes comme parents ?
* Quels sont les avantages et les inconvénients des jeux vidéo ?
* Qu'est-ce que la cyberdépendance ?
* Mon jeune est-il cyberdépendant ?
* Comment gérer le temps passé devant les écrans ?
* Comment protéger mon jeune face à Internet ?

À 10 ans, votre fille Émilie passe la grande majorité de son temps à clavarder sur Internet. Elle s'y met dès son arrivée de l'école, puis y retourne après le souper, sans compter les nombreuses heures qu'elle y consacre la fin de semaine. Votre fils Sébastien est un adepte des jeux vidéo et il ne tient pas une seule journée sans y jouer. Il se dépêche souvent de manger pour pouvoir s'y remettre le plus rapidement possible. Ces situations sont le lot de bien des parents, qui ont parfois de la difficulté à faire «décoller» leur préadolescent de leur précieux écran.

### Est-ce que cet engouement pour la techno est normal et généralisé ?

Les écrans font désormais partie de notre univers quotidien : télévision, cinéma, téléphones cellulaires, ordinateurs, consoles de jeux, Internet. Toute cette technologie est à notre disposition et il est même difficile d'imaginer nos journées sans elle ! Les enfants, qui ont grandi avec elle, ont confiance en leurs capacités de l'utiliser et savent effectivement très bien le faire.

Pour les jeunes, l'ordinateur est non seulement un outil de travail, mais aussi un mode de vie et un moyen de communication de la plus grande importance. Nos préadolescents passent aujourd'hui plus de temps devant leur ordinateur que devant la télé. Ils consultent des blogues sur Internet pour leurs travaux d'école, expédient des courriels, clavardent, visitent des sites de vidéoclips, de réseaux sociaux, de films ou de musique et jouent en ligne. Pas étonnant que l'on ait l'impression, comme parents, qu'ils passent la plus grande partie de leur vie devant leur écran! C'est même, dans plusieurs familles, une source de frustration ou de conflits récurrents.

## Petit lexique des jeunes technos

La culture techno a amené son lot de termes nouveaux et il est parfois difficile de suivre cette évolution. Toutefois, nos jeunes utilisent fréquemment certains noms particuliers pour désigner leur appartenance ou leur degré de «passion» devant la techno... Voici les plus courants:

Geek: Anglicisme désignant une personne passionnée par un domaine précis, essentiellement tourné vers la science-fiction et les nouvelles technologies (comme, évidemment, l'informatique). Le *geek* typique est le jeune passionné de jeux vidéo, de sciences, de techno et de tout ce qui a trait aux univers fantastiques (films, bandes dessinées, séries télé, etc.). Équivalent français: maniaque de l'informatique.

Nerd: Anglicisme désignant une personne passionnée par la science et la technologie, mais qui, à la différence du *geek*, est réputée pour être malhabile socialement. Le terme *nerd* est donc perçu plus négativement, le jeune qui en est affublé étant plutôt asocial et centré sur ce qui le passionne, et y consacrant le plus clair de son temps. Le *nerd* aura par conséquent tendance à rester «vissé» à son ordinateur sans sortir de chez lui. Pour simplifier le tout, disons que le *nerd* serait un intello qui ne sort jamais, alors que le *geek* serait plutôt un intello très sociable. Équivalent français: accro de l'informatique.

**Nolife:** Terme anglais que l'on pourrait traduire littéralement par «individu qui n'a pas de vie». Désigne un joueur qui consacre une très grande partie, si ce n'est la totalité, de son temps au jeu vidéo au détriment des autres activités et des amis. C'est le terme le plus négatif pour nos jeunes.

Évidemment, il faut faire attention à ces étiquettes que nos enfants peuvent se voir attribuer, bien malgré eux, par les amis et à l'école. Comme elles ont souvent une connotation négative, elles deviennent un moyen parmi tant d'autres d'exclusion ou de rejet, et portent atteinte à l'estime de soi de notre enfant.

Les jeunes âgés de 9 à 12 ans arrivent à la puberté, une période de changements intense au cours de laquelle ils apprennent à définir leur identité et à acquérir un peu plus d'autonomie. Internet, les réseaux sociaux, les téléphones cellulaires, les jeux vidéo, les forums et le clavardage les amènent à *socialiser avec les jeunes de leur groupe d'âge*. Ce sont des moyens efficaces de combler leur besoin de liberté et d'affirmation de soi. L'anonymat que peut procurer Internet permet parfois aux jeunes plus timides ou impopulaires d'y trouver leur compte en leur offrant la chance de «s'inventer» une identité qu'ils n'ont pas dans la vie réelle. Tout ce monde virtuel leur donne l'impression d'avoir une vie sociale et les pousse donc à exploiter plus à fond cet univers.

## Clavardage et téléphone

La préadolescence est souvent marquée par une augmentation du besoin de communiquer, de partager, d'échanger avec les pairs. C'est par le contact avec les autres que les jeunes vont pouvoir se comparer, s'identifier et définir leur propre identité. Le téléphone et, plus récemment, le clavardage prennent ainsi une place de plus en plus importante dans leur vie. C'est ainsi qu'ils sentiront le besoin, dès leur arrivée de l'école, de passer des heures au téléphone ou à l'ordinateur pour échanger avec les amis qu'ils viennent pourtant de quitter.

*« Qu'avez-vous donc encore à vous dire ?*
*Vous vous êtes vus toute la journée ! »*

Ce besoin est donc tout à fait légitime ; pire, il augmentera encore pour atteindre son apogée à l'adolescence (de 13 à 17 ans). Raison de plus pour intervenir rapidement et ne pas tolérer les excès. Il est d'ailleurs conseillé de fixer des limites et des règles claires : limite de temps (maximum 1 heure par jour, par exemple), et selon un horaire prédéterminé (avant 20 h les soirs de la semaine).

## Les textos ou SMS

La popularité des portables et des téléphones intelligents rend incontournable l'utilisation des SMS (*short message service*), aussi appelés « textos », « messages textes » ou « minimessages ». Le nombre de textos échangés par jour est faramineux et ne cesse d'augmenter. Il faut cependant rester vigilant, puisque bien des jeunes reçoivent et envoient des SMS à tout moment de la journée... même pendant les heures de classe, le soir et la nuit !

Certaines recherches indiquent en effet que nos préados et nos ados seraient souvent réveillés par le signal sonore indiquant l'arrivée de messages auxquels ils sont très tentés de répondre immédiatement. L'impact sur la durée ou la qualité du sommeil peut donc être significatif. Alors que la télé, l'ordinateur ou les jeux vidéo peuvent avoir un effet limité sur la durée du sommeil (en retardant simplement l'heure du coucher), le SMS a un aspect «instantané», pouvant ainsi interrompre le sommeil, et ce, plusieurs fois dans la même soirée. Il est donc essentiel, comme parents, de sensibiliser nos jeunes à cette utilisation abusive et de les obliger à ranger ET à fermer leurs appareils au moment de se coucher.

## Pourquoi les jeux vidéo sont-ils si populaires ?

Les jeux vidéo occupent une place indéniable auprès des jeunes âgés de 8 à 16 ans, et malgré ce succès fulgurant, ils n'ont pas toujours bonne image. Certains jeux sont critiqués ; on les dit violents, abrutissants, et ils ont la réputation d'entraîner les jeunes (et même les moins jeunes!) vers l'obsession. Tout est évidemment question de dosage. Mais pourquoi les jeux vidéo ont-ils une si grande importance dans la vie de nos préados?

### Une place privilégiée chez les jeunes

Les jeux vidéo sont un véritable phénomène de société et font partie de la vie de la majorité de nos préadolescents et de nos adolescents. C'est le cas en particulier des garçons, pour qui les thèmes des jeux sont souvent plus attrayants, ceux-ci se fondant essentiellement sur l'action : missions, jeux de guerre, courses, combat... Ces jeux ont un aspect exutoire ou libérateur qui n'est pas à négliger. Ils offrent aux jeunes un moyen de se divertir après une longue journée d'école.

Plusieurs études indiquent que le succès des consoles de jeux est lié à la possibilité d'«agir sur l'écran», ce qui est nettement plus intéressant que le simple fait de regarder passivement la télévision. Nos enfants passent ainsi de simples spectateurs à acteurs et metteurs en scène !

Autre facteur de succès : les jeux de personnification, qui proposent souvent une *mise en scène de soi* par l'entremise d'un personnage que nos jeunes créent de toutes pièces et à travers lequel ils peuvent s'extérioriser, s'exprimer, se mesurer aux autres et évoluer. Ces jeux leur donnent l'occasion d'expérimenter des situations et des émotions par l'entremise d'un personnage auquel ils s'identifient, de vivre des sensations et des moments de valorisation (quand ils deviennent le héros du jeu ou le vainqueur), donc des moments gratifiants, surtout pour ceux qui n'ont pas nécessairement une estime ou une confiance en soi très élevées. Bref, ces jeux offrent un élément salutaire et libérateur pour nos jeunes, qui, dans la phase de la puberté, traversent une période de changement, de transition et d'affirmation de soi pas toujours facile.

## Est-ce normal d'avoir des craintes comme parents ?

La popularité des jeux vidéo et l'intensité avec laquelle certains préados s'y consacrent peuvent très certainement susciter, chez les parents, des inquiétudes qu'il faut parfois pondérer.

*Peur de créer une confusion entre le réel et le virtuel*

Selon certaines études, cette crainte ne serait pas vraiment justifiée *pour ce groupe d'âge*. Évidemment, ce n'est pas le cas chez les jeunes enfants, qui ont encore de la difficulté à distinguer la réalité de la fiction, d'où l'importance de sélectionner des jeux qui respectent le groupe d'âge indiqué sur l'emballage. Il est à noter que les enfants qui peuvent être affectés et qui pourraient franchir la barrière entre le jeu virtuel et la réalité souffrent déjà, la plupart du temps, d'un trouble de la personnalité limite (*borderline*) ; habituellement, ces jeunes fragiles sur les plans affectif et psychologique manifestent de l'agressivité avant même de s'adonner à ces jeux.

*Peur que le niveau d'agressivité de notre jeune n'augmente*
Il est vrai que le caractère très actif, violent et très réaliste de certains jeux peut inquiéter. Mais il s'agit d'une « violence graphique » et virtuelle seulement. La difficulté des parents à comprendre et/ou à accepter le niveau d'agressivité de certains jeux vidéo pourrait être simplement une question de « fossé générationnel ». D'ailleurs, certaines études révèlent que ces jeux n'entraîneraient aucune augmentation notable du niveau d'agressivité dans la vie réelle de nos jeunes. Ce qu'on observe plutôt, comme parents, c'est une surexcitation qui pousse parfois nos enfants à manifester des comportements dérangeants. Ils deviennent survoltés, comme ils pourraient l'être après toute autre activité stimulante, et nous interprétons cette attitude comme de l'agressivité.

Surexcitation = perte de contrôle de soi = comportements dérangeants.

Surexcitation ≠ agressivité.

Bien entendu, nous avons tous été témoins, un jour ou l'autre, de l'exaspération ou de l'impatience de notre jeune qui ne réussissait pas son tableau, sa mission ou qui était frustré d'avoir perdu son personnage. Toutefois, ces manifestations spontanées d'agressivité ou d'impatience ne font pas de lui un jeune plus agressif pour autant. Nous pouvons nous-mêmes ressentir ces émotions après un mauvais coup au golf ou devant notre difficulté à terminer une tâche difficile.

Il faut donc faire attention aux idées ou aux jugements préconçus face aux jeux vidéo. Comme dans toute chose, il convient d'établir et de respecter des limites, d'être raisonnable et, surtout, de savoir tout arrêter quand le jeu cesse d'être un divertissement pour devenir une source constante de frustration.

*Peur de l'accoutumance*

Parmi toutes les craintes que suscitent les jeux vidéo, la plus inquiétante (et réelle) concerne le caractère intense, voire obsessif, que cette activité peut prendre. Ces jeux exercent un très grand attrait sur nos préados, qui peuvent parfois en abuser. Mais n'avons-nous pas déjà fait de tels excès (souvent momentanés) en nous adonnant à une activité qui suscitait soudainement tant notre intérêt ? Et rassurons-nous : le caractère *obsessif* n'est présent que chez un faible pourcentage des jeunes. Malgré tout, il y a lieu, comme parents, d'établir des règles et des limites de temps afin d'assurer un bon équilibre chez notre enfant.

## Des jeux vidéo accrocheurs !

Il ne faut pas se le cacher, les jeux vidéo sont conçus pour créer une accoutumance : les personnages, qui ont de multiples vies, doivent traverser plusieurs niveaux d'obstacles toujours plus difficiles les uns que les autres... Les jeux en ligne, tout particulièrement, encouragent l'usage intensif puisqu'ils ne semblent jamais finir : il y a presque toujours des joueurs en ligne disponibles et prêts à lancer un défi aux autres usagers. Dans cette situation, difficile de lâcher avant la fin de la partie sans compromettre le reste du groupe !

## Quels sont les avantages et les inconvénients des jeux vidéo ?

*Les principaux avantages*

Les jeux vidéo sont synonymes d'heures de plaisir intense. À l'inverse de la télévision, qui a un côté passif, ils entraînent un comportement *interactif*. Plusieurs études révèlent leurs avantages, parfois méconnus des parents, dont voici les principaux :

&ast; **Ils améliorent la perception spatiale.** Les jeux vidéo d'aujourd'hui présentent une qualité graphique tridimensionnelle impressionnante dans laquelle notre jeune doit continuellement se repérer, ce qui développe sa capacité de représentation spatiale.

* **Ils développent la déduction.** Les jeux amènent les participants à essayer, à échouer, à réfléchir de nouveau et à recommencer, leur permettant ainsi d'expérimenter et d'apprendre en faisant des erreurs. Certains jeux (mission, stratégies, simulations) stimulent la créativité ainsi que l'intuition et aident les jeunes à aborder des situations ou des problèmes sous différents angles. Nos enfants y apprennent à réfléchir de manière créative et stratégique.

* **Ils améliorent les réflexes et les capacités multitâches.** Les jeux vidéo développent, sans l'ombre d'un doute, les réflexes de nos jeunes ainsi que leur capacité à faire plusieurs tâches en même temps.

* **Ils augmentent la confiance et l'estime de soi.** Le fait d'atteindre des niveaux de difficulté croissants dans un jeu vidéo ou de devenir le vainqueur favorise la confiance en soi et apporte une grande satisfaction.

* **Ils encouragent la solidarité.** Les jeux vidéo en ligne, dans lesquels il faut faire équipe, permettent aux participants d'établir des stratégies communes et de créer des alliances pour réussir.

* **Ils développent la persévérance et la combativité.** Les joueurs doivent constamment répéter le premier niveau et réussir ses épreuves avant de passer au deuxième, puis, après l'avoir réussi, au troisième et ainsi de suite. Cela les amène à acquérir cette qualité fondamentale qu'est la persévérance. Et ils peuvent en mettre du temps et de l'énergie pour atteindre le niveau tant désiré!

* **Ils favorisent la socialisation.** Cela peut paraître contradictoire pour certains, mais il ne faut pas oublier que nous nous éloignons de plus en plus de l'image stéréotypée du joueur *solitaire*. Les jeux en ligne, entre autres, permettent cette forme de socialisation et prennent en quelque sorte la place des jeux de société traditionnels, avec autant de règles et d'interaction avec les amis.

Les jeux vidéo deviennent également un centre d'intérêt commun : on y joue, on en parle, on compare ses stratégies, on échange trucs et découvertes, etc. Bref, c'est un sujet d'échange social important, tant à la maison que dans la cour d'école, *au point où les jeunes qui ne partagent pas cet intérêt peuvent se sentir exclus.* Par conséquent, faites attention aux interdictions complètes de jeux !

### Les principaux effets négatifs

Bien que les jeux vidéo présentent certains avantages ou permettent de développer certaines habiletés, ils peuvent avoir des effets négatifs, mais ceux-ci sont généralement liés au *taux d'utilisation* des jeunes.

Il est démontré qu'une séance de jeux vidéo libère dans le cerveau de la dopamine, un neurotransmetteur associé aux sensations de plaisir. Pas étonnant que cette activité procure tant d'engouement ! D'ailleurs, certains préados perdent la notion du temps en s'installant devant leur écran, et c'est cette surconsommation qui peut entraîner des effets néfastes, dont voici les principaux :

* ✳ **Tendance à négliger toute autre forme d'activité.** Devant l'attrait des jeux vidéo, il est possible que nos jeunes en arrivent à passer tout leur temps libre accroché à leur manette et qu'ils perdent de vue du même coup toutes les autres activités. Certaines études indiquent que les garçons qui s'investissent à fond dans les jeux vidéo passent 30 % moins de temps à lire que les autres. Il en est de même pour l'activité physique et les sports, et leur forme physique s'en trouve diminuée.

> *Le principal danger des jeux vidéo, c'est que nos jeunes passent le plus clair de leur temps devant leur écran, au détriment de toutes les autres activités.*

✳ **Danger d'entretenir la solitude.** Bien que jouer et partager sa passion avec ses amis puissent revêtir un caractère social intéressant, il est possible qu'il en soit tout autrement pour les préadolescents renfermés et timides. Ces derniers auront tendance à jouer *en solitaires*, ce qui ne fera que les isoler davantage.

✳ **Apparition de troubles physiques.** Les jeunes qui abusent des jeux vidéo peuvent souffrir de fatigue visuelle, de nervosité, de vertiges et de troubles du sommeil. Soyez vigilant et surveillez leur utilisation, particulièrement le soir.

✳ **Engouement excessif.** Bien qu'on ne parle pas ici d'obsession, certains jeunes vivent un engouement intense sur une période plus ou moins longue, qui peut même déstabiliser momentanément leur routine habituelle. Cette situation est particulièrement fréquente les semaines qui suivent la sortie d'un jeu vidéo tant attendu. Bien que nous devions intervenir et imposer des limites raisonnables, ce n'est généralement pas une situation inquiétante.

✳ **Dépendance.** On parle de dépendance aux jeux vidéo lorsque les relations sociales et familiales du jeune en sont affectées, de même que son comportement et ses résultats scolaires. Cette situation, décrite plus en détail dans la section suivante, nécessite évidemment une action précise de notre part afin d'éviter les conséquences fâcheuses qui peuvent en découler.

Ces conséquences négatives sont évidemment proportionnelles au temps d'utilisation de notre enfant. La limite entre une utilisation abusive et une dépendance n'est parfois pas très grande. Si notre jeune passe un temps fou sur Internet, à jouer à des jeux vidéo, à clavarder, à texter, à répondre à ses courriels, est-il passionné d'informatique ou cyberdépendant ? À quel moment doit-on s'inquiéter ?

## Qu'est-ce que la cyberdépendance ?

Lorsqu'un jeune est complètement absorbé par un jeu, par Internet, par le clavardage, les blogues et autres groupes de discussion, il est possible qu'il finisse par ne plus penser qu'à ça et qu'il en devienne dépendant, l'ordinateur devenant pour lui une véritable drogue. On parle alors de « cyberdépendance ».

La cyberdépendance est un phénomène relativement nouveau qui désigne toute dépendance à l'univers informatique (Internet, ordinateur, jeux vidéo...). On parle de cyberdépendance quand il est question d'utilisation compulsive. Les cyberdépendants cherchent constamment à se connecter et éprouvent une anxiété ou un profond malaise quand ils ne le peuvent pas. Un peu comme un toxicomane, le cyberdépendant peut ressentir un *manque* qui le désorganisera. La dépendance implique donc le besoin de se connecter très souvent, la très grande difficulté de s'arrêter volontairement et l'adoption de comportements parfois douteux pour assouvir son besoin, par exemple mentir ou se cacher.

Les jeunes qui ont naturellement tendance à s'isoler, qui sont timides, rejetés, qui s'ennuient ou qui ne s'adonnent pas à des activités parascolaires sont plus à risque que les autres de devenir des cyberdépendants.

## Mon jeune est-il cyberdépendant ?

Comme dans toute forme de dépendance, les effets négatifs qui découlent de ce comportement incontrôlable et répétitif ne tardent pas à se manifester. L'isolement est probablement l'effet le plus commun. Le jeune, pour ne pas manquer de temps à l'ordinateur, s'isole de ses amis et de sa famille, et néglige ses devoirs ou ses activités sportives. Si ses parents lui interdisent l'accès à l'ordinateur, il ressentira un grand vide, il tournera en rond dans la maison et s'ennuiera puisque rien d'autre ne semblera l'intéresser. Ces comportements, accompagnés de modifications dans ses habitudes de sommeil, alimentaires et d'hygiène, de changements d'humeur ou d'une baisse soudaine de ses résultats scolaires, sont très révélateurs.

En ce qui concerne les jeux vidéo, on peut regrouper les niveaux d'utilisation des jeunes en trois grandes catégories :

1. **L'utilisation normale ou régulière.** Le jeune joue régulièrement, mais pas forcément tous les jours. Même si cela représente son passe-temps préféré, les jeux vidéo ne sont pas son loisir principal ou, du moins, la seule activité qu'il pratique. Il peut s'y amuser parfois pendant quelques heures, et peut s'arrêter facilement. Même si l'utilisation est importante (en nombre d'heures), elle n'a rien d'inquiétant.

2. **L'utilisation abusive.** Le jeune ne contrôle plus bien son utilisation et verse souvent dans l'excès. Il a de la difficulté à s'arrêter et profite de toutes les occasions pour s'adonner à sa passion. Il a même tendance à faire certains sacrifices (sauter un repas ou couper quelques heures de sommeil, par exemple) ou certains compromis mineurs sur le plan de sa vie sociale et familiale afin de jouer davantage, mais sans plus. On ne parle donc pas de dépendance. Il s'agit plutôt d'une utilisation intense qui peut parfois nous sembler excessive ou exaspérante comme parents. Mais qui d'entre nous n'a jamais fait quelques excès similaires en voulant terminer un roman, un casse-tête ou en s'adonnant à une nouvelle activité passionnante ?

3. **La dépendance.** La dépendance représente un niveau d'utilisation supérieur et préoccupant. Elle se manifeste par un désir *insistant* et *persistant* de jouer, poussant le jeune à réduire (voire à couper) ses relations sociales, amicales et familiales. Il refusera par exemple d'aller au cinéma en famille ou de se présenter chez grand-maman, préférant de loin rester seul et profiter au maximum de sa dépendance. Lorsque notre jeune est coupé de son ordi, il ressent une sensation de vide, une anxiété ou un manque qui le désorganise. Son obsession pour le jeu vidéo a des répercussions sur le plan scolaire, et affecte même son appétit et son sommeil.

## Combien de temps accorder aux jeux vidéo?

Combien de temps peut-on laisser son enfant jouer, raisonnablement, à des jeux vidéo? Il n'y a pas de réponse précise à cette question. Avant tout, il faut tenir compte de son âge. Certains parents estiment qu'une heure par jour est raisonnable, alors que d'autres lui accorderont jusqu'à deux heures, peut-être un peu plus la fin de semaine. Un blitz de jeu entre amis la fin de semaine est également dans la norme.

L'essentiel est de trouver un équilibre, de s'assurer que les jeux ne remplacent pas totalement les activités importantes (temps en famille, sports, devoirs...) et de veiller à ce qu'ils ne deviennent pas le seul et unique centre d'intérêt de notre jeune.

## D'après vous, combien de temps passe-t-il devant l'ordi?

La réponse à cette question pourrait faire frémir ou décourager bien des parents... sans compter le temps passé devant la télé! Pour avoir une bonne idée de la situation, tentez l'expérience suivante: notez *chaque jour* le nombre d'heures que votre jeune passe devant tous les écrans (télé, ordi, console de jeux), pendant une ou deux semaines. Le résultat de vos notes vous paraîtra probablement surprenant. En effet, le constat dépasse généralement nos prévisions. Même votre jeune risque d'être étonné du résultat et prendra ainsi lui-même conscience de la (trop) grande importance qu'il accorde aux jeux vidéo.

*Les signes de la cyberdépendance*

Voici quelques signes révélateurs d'un problème de dépendance. Le jeune cyberdépendant:

✳    ressent un soulagement, un plaisir et un sentiment de bien-être évident en jouant;

* est incapable de s'arrêter volontairement;
* ressent le besoin d'augmenter continuellement le temps consacré à l'ordinateur;
* a tendance à couper toutes les activités sociales et familiales. Manque évidemment de temps à consacrer à la famille et aux amis;
* éprouve un sentiment de vide, de la dépression, de l'anxiété ou de l'irritabilité lorsqu'il est privé d'un ordinateur;
* est porté à s'isoler, à se cacher et même à mentir pour passer plus de temps à l'ordinateur;
* a tendance à nier ou à cacher son obsession à ses amis ou à sa famille;
* manque de concentration à l'école et présente une baisse de rendement à l'école (résultats scolaires);
* manifeste graduellement des troubles physiques: yeux secs, fatigue, engourdissement ou douleur entre la main et l'avant-bras, douleur dorsale ou cervicale;
* s'alimente de façon irrégulière, saute des repas ou prend des repas expéditifs;
* néglige son hygiène corporelle;
* souffre d'insomnie ou de troubles du sommeil.

Si votre jeune présente quelques-uns de ces signes, que la moindre occasion est bonne pour sauter sur son ordinateur ou sa console de jeux, qu'il s'isole et qu'il est de plus en plus difficile de communiquer avec lui, soyez vigilant. Le mieux, bien sûr, est de réagir avant que cette dépendance ne s'installe pour de bon.

## Comment gérer le temps passé devant les écrans?

Ce qui semble le plus difficile pour la plupart des parents, c'est de mettre des limites et de les faire respecter. Pour y parvenir, mieux vaut commencer en bas âge. Si nous avons toujours eu tendance à laisser aller, à placer notre enfant devant la télé ou une console de jeu à la moindre occasion (en arrivant de la garderie, le matin, le soir pendant qu'on prépare le souper ou au restaurant pour ne pas être dérangé), alors il ne faut pas s'étonner d'avoir de la difficulté à le faire décoller de ses écrans à la préadolescence ou à l'adolescence !

Il est plus facile de faire passer nos messages et d'établir des règles et des habitudes de vie lorsque les enfants ont moins de 13 ou 14 ans. Avant cet âge, ils sont toujours ouverts et même heureux de faire des activités avec nous. C'est à nous, parents, de leur fournir ce qu'il faut pour éviter qu'ils ressentent le besoin de combler un vide par la télé ou les consoles de jeu.

Si, malgré tout, vous devez contrôler la durée d'utilisation de l'ordinateur ou de la console de jeu de votre enfant, voici quelques conseils utiles.

*Éviter la privation draconienne*
L'interdiction complète sera probablement perçue comme une punition injuste qui ne fera qu'envenimer votre relation avec votre jeune et générera frustrations, tensions et chicanes. De toute façon, ce monde virtuel fait partie de sa vie et il n'est pas nécessairement souhaitable de l'en priver complètement. Il faut simplement s'assurer d'une utilisation raisonnable. De plus, les jeux vidéo sont un sujet d'échange social important, tant à la maison que dans la cour d'école, et les jeunes qui ne partagent pas cet intérêt peuvent se sentir à part. Évitez par conséquent toute privation complète.

*Établir des règles claires et constantes concernant l'utilisation*
Sans interdire, il faut tout de même s'assurer que l'ordinateur est utilisé raisonnablement et qu'il ne brime pas les habitudes normales de notre jeune. La place accordée à l'ordinateur (tout comme celle qui est accordée à la télé) ne doit pas empiéter sur le temps consacré aux devoirs, aux sports, aux sorties, aux amis... Établissez ensemble les horaires et les priorités. Par exemple :

✳ après les devoirs ou après le souper seulement ;
✳ pas plus d'une heure d'affilée la semaine (selon l'âge) ;

* un peu plus longtemps la fin de semaine ou les jours de congé;
* on ne mange jamais devant l'ordi et on fait une vraie pause repas;
* on joue dehors s'il fait beau;
* on arrête au moins une heure avant d'aller se coucher.

*Installer l'ordinateur dans une pièce commune*
Placez l'ordinateur dans une pièce souvent fréquentée et *non dans la chambre de votre jeune*! Le fait d'installer la télévision, l'ordinateur ou la console de jeu dans sa chambre augmente le temps d'utilisation et favorise considérablement l'isolement qui peut mener à la dépendance. Il est recommandé d'utiliser la salle familiale, le salon, bref, une pièce à laquelle tous les membres de la famille ont accès. De cette façon, il vous sera plus facile d'être conscient du taux d'utilisation, de voir ce que fait votre jeune sur l'ordinateur (ou Internet) et de connaître le type de jeux qu'il affectionne.

*Contrôler le type de jeux vidéo*
Il est important de définir, en fonction de l'âge de notre enfant, quels types de jeux vidéo sont autorisés. Si un jeu semble agiter notre jeune ou le rendre agressif, il ne faut pas hésiter à en limiter l'utilisation ou même à le retirer, le temps que l'enfant mûrisse. Il faut être attentif au contenu. D'ailleurs, les jeux sont conçus pour des classes d'âge bien précises. Il existe différentes classifications, dont l'ESRB (Entertainment Software Rating Board) en Amérique du Nord et le système PEGI (Pan European Game Information) en Europe. Il est important de respecter la classification de ces jeux et de ne pas offrir à notre fils de 10 ans un jeu destiné aux 13 ans et plus.

*Se montrer intéressé*
Naviguez sur Internet avec votre jeune de temps en temps afin de connaître ses sites préférés, ce qui le passionne ou l'attire. Intéressez-vous aux jeux vidéo auxquels il s'adonne afin d'évaluer plus objective-

ment leur contenu et de saisir pourquoi il les aime. Bref, essayez de comprendre son monde. N'ayant pas eu accès à l'ordinateur ou aux jeux vidéo dans leur jeunesse, de nombreux parents alimentent des craintes face à leur utilisation ou à leur attrait. De leur côté, les enfants estiment que les parents «ne comprennent rien»! Il est donc important de tenter de briser cette barrière.

*Proposer des activités complémentaires*
N'hésitez pas à proposer à votre jeune des activités complémentaires, des options de rechange aux jeux vidéo: sports, loisirs, jeux de société, etc. Assurez-vous que votre enfant ne passe pas tout son temps libre accroché à sa manette ou à son clavier et qu'il ne perd pas de vue du même coup toutes les autres activités.

*Observer et rester attentif à l'abus*
Surveillez l'apparition de signes ou de symptômes de dépendance ou d'utilisation abusive chez votre enfant. Si plusieurs signes sont présents, n'hésitez pas à intervenir et à demander une aide professionnelle, au besoin. Une dépendance peut cacher d'autres problèmes plus fondamentaux (faible estime de soi, rejet, frustrations...) qu'il faut tenter de régler pendant qu'il est encore temps.

Comme pour tout autre apprentissage, nous devons éduquer nos jeunes sur la façon d'utiliser ces éléments technologiques, émettre des règles claires et les faire respecter. Nous devons *encadrer et accompagner* nos enfants dans leur découverte d'Internet et des jeux vidéo.

## Comment protéger mon jeune face à Internet?
En tant que parents, nous avons une responsabilité dans la gestion d'Internet et des appareils électroniques: ordinateur, tablette électronique, cellulaire, etc. Nos préadolescents n'ont pas encore le jugement ni la maturité nécessaires pour utiliser Internet seuls, sans un mini-

mum de supervision. Nous devons nous assurer qu'ils respectent les groupes d'âge recommandés pour les sites, les jeux en ligne et les réseaux sociaux. Voici quelques conseils à cet effet:

* **Filtrage Internet.** Utilisez un moteur de recherche ayant un système de filtrage (ce qui est le cas des principaux moteurs connus) et configurez-le en fonction de l'âge de votre enfant. Cet outil permet de bloquer des publicités indésirables (*pop-ups*) ou d'éviter de se retrouver dans une boucle de sites pornographiques. La plupart des systèmes d'exploitation des ordinateurs permettent également d'activer des filtres empêchant l'accès de certains sites ou de spécifier la durée et le moment d'utilisation d'Internet.

* **Pare-feu et antivirus.** Un antivirus et un pare-feu sont nécessaires pour protéger l'ordinateur lorsqu'on navigue sur Internet ou qu'on échange des fichiers par courriel.

* **Sensibilisation aux dangers.** Conscientisez votre jeune face aux dangers d'Internet. Encouragez-le à vous prévenir s'il reçoit des messages douteux ou d'une provenance inconnue et, surtout, dites-lui clairement de ne pas y répondre. Au moment de s'inscrire à un site de jeux en ligne, à un réseau social ou à un système de messagerie (avec la permission des parents), il ne doit *jamais* fournir de renseignements personnels (nom, adresse, numéro de téléphone, etc.). Suggérez-lui d'utiliser une seconde adresse de courriel réservée à cette fin et d'y communiquer à l'aide d'un surnom ou d'un pseudonyme qu'il s'est créé.

* **Contrat d'utilisation.** Discuter ouvertement avec votre jeune des règles entourant l'utilisation de l'ordinateur: période de la journée, durée, sites permis ou interdits... Clarifier ces règles, au besoin, et les conséquences qui s'ensuivront s'il ne les respecte pas.

* **Vigilance !** N'hésitez pas à consulter l'historique de navigation de votre jeune. Soyez clair en ce qui a trait à l'utilisation d'Internet : vous avez le droit, en tout temps, de vérifier ce qu'il fait et d'intervenir si cela vous semble nécessaire. Si vous constatez qu'il a visité des sites violents, pornographiques ou de jeux de hasard (poker, loteries), ne laissez pas passer : vous devez intervenir.

* **Information et désinformation.** Bien qu'Internet soit une source d'information intarissable, sensibilisez votre jeune au fait que ce réseau n'est malheureusement pas toujours fiable. Beaucoup de faux renseignements, de rumeurs, de canulars y circulent. Il faut rester prudent et faire preuve de sens critique.

* **Attention à la cyberintimidation !** Soyez attentif aux signes de détresse de votre jeune, tels que le refus soudain d'utiliser l'ordinateur ou d'aller à l'école, le cafard ou l'irritabilité, des symptômes pouvant laisser croire qu'il est victime de cyberintimidation. Si vous prenez connaissance de textos, de courriels ou de messages offensants sur les réseaux sociaux, n'hésitez pas à communiquer avec la direction de l'école, avec le fournisseur Internet ou même avec la police dans les cas graves.

En résumé, nous devons, comme parents, informer nos enfants de nos attentes concernant l'utilisation d'Internet, nous tenir au courant de leurs activités virtuelles sur le Web et être vigilants quant à l'utilisation qu'ils en font. Les différents médias électroniques sont très attirants pour nos jeunes et occupent une grande place dans leur vie, c'est pourquoi nous devons rester attentifs afin de s'assurer que tout cela demeure une source d'enrichissement, de divertissement et de plaisir sain et vécu de façon équilibrée.

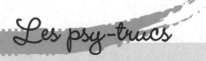

*Les psy-trucs*

1. Prendre conscience du fait que l'ordinateur et les jeux vidéo font partie intégrante de la vie de nos jeunes et qu'il serait illusoire de vouloir les en priver.

2. Se rappeler que les jeux vidéo présentent des effets bénéfiques assurés, mais aussi des effets négatifs qui sont surtout liés à une utilisation abusive.

3. Contrôler le nombre d'heures d'utilisation afin d'éviter que notre jeune y passe tous ses temps libres, au détriment des autres activités, de la famille et des amis.

4. Installer l'ordinateur dans une pièce centrale de la maison, et surtout pas dans la chambre de son enfant (ce qui favoriserait la surutilisation, l'isolement et la dépendance).

5. Ne pas interdire l'accès à Internet et aux jeux vidéo, mais plutôt établir des règles claires sur le nombre d'heures permis et les moments pour s'y consacrer (pas avant les devoirs, pas avant de se coucher, etc.). Spécifier les sites interdits et informer le jeune des conséquences qui s'ensuivront s'il ne respecte pas ce contrat.

6. Se montrer intéressé à ce que fait son enfant sur l'ordinateur, aux jeux vidéo auxquels il s'adonne ; surveiller les sites qu'il visite et les messages qu'il reçoit.

7. Rester vigilant face à tout signe de cyberdépendance chez son jeune : isolement, troubles du sommeil, irritabilité ou ennui quand il ne peut jouer, baisse du rendement à l'école, etc.

8. En cas d'abus ou de dépendance, ne pas tarder à consulter.

# Nos préados et l'école

*Les questions que tout parent se pose :*

* Quelles sont les causes possibles des difficultés à l'école ?
* Comment réagir face aux difficultés scolaires de mon jeune ?
* Mon enfant souffre-t-il d'un trouble d'apprentissage ?
* Comment puis-je aider mon préadolescent à surmonter ses difficultés ?
* Comment motiver mon jeune à l'école ?
* Que faire si mon enfant ne manifeste aucun intérêt ?
* Comment intervenir face aux devoirs ?
* Comment réagir face au bulletin ?

La période de la préadolescence comporte, comme on le sait, tout un lot de transformations physiques et psychologiques chez nos jeunes, la puberté marquant le passage de l'enfance à l'adolescence. Il en va de même à l'école, où notre jeune sera soumis à des changements importants : on lui demandera de faire preuve de plus d'autonomie, d'être plus responsable face à sa réussite scolaire et de faire des choix de cours à son entrée au secondaire. Ces modifications peuvent l'amener à avoir une attitude bien différente face à tout ce qui touche l'école.

### Quelles sont les causes possibles des difficultés à l'école ?

Le parcours scolaire de nos jeunes, de la maternelle à la fin du secondaire, constitue un périple exigeant, très enrichissant, certes, mais qui peut comporter bien des difficultés. C'est rarement un parcours en ligne droite, et les embûches sont inévitables.

Si notre préadolescent éprouve des difficultés scolaires, notre rôle comme parents est d'abord d'essayer de comprendre les causes, pour

ensuite être en mesure d'intervenir adéquatement. Ces difficultés sont-elles passagères ou soutenues ? Mon jeune vit-il des problèmes affectifs, des problèmes d'adaptation, d'intimidation, d'estime, d'anxiété, de timidité excessive, d'organisation ?
Voyons certains de ces éléments plus en détail.

*Les événements difficiles sur le plan affectif*
L'environnement familial peut avoir un impact majeur sur la vie scolaire de notre jeune. Un parent malade, le décès d'un proche, la séparation des parents, un déménagement, un changement d'école, voilà autant de situations pouvant générer du stress, de l'anxiété ou une instabilité sur le plan émotif. Ces événements risquent de drainer l'énergie du jeune, de nuire à sa capacité de concentration et de l'empêcher de bien fonctionner en classe.

*La relation parent-préadolescent*
La qualité de notre relation avec notre jeune est significative et peut influer grandement sur sa vie à l'école. Un jeune peut, par exemple, prendre sa revanche sur un parent trop autoritaire en transposant son désir d'opposition à l'école. Cette opposition peut se manifester activement (par de l'indiscipline, le non-respect des règles et des consignes) ou passivement (par un refus de participer, une tendance à l'isolement, une indifférence face aux résultats scolaires...).

*Le manque de confiance en soi*
L'estime de soi et la confiance en leurs capacités sont souvent déficientes chez les jeunes qui présentent des problèmes scolaires, en particulier chez ceux qui ont été surprotégés ; ils se découragent facilement (quelquefois avant même d'avoir commencé), ils ont de la difficulté à identifier leurs forces et leurs qualités, et se sentent parfois insécurisés, voire anxieux. C'est d'abord nous, les parents, qui avons un impact sur l'estime de soi et la confiance en soi de nos jeunes. Tous les élèves devraient être en mesure d'avoir une bonne perception d'eux-mêmes pour être heureux et performants à

l'école, et nous pouvons fortement contribuer à développer cette confiance.

### L'anxiété de performance
Des objectifs irréalistes, des attentes démesurées ou nettement supérieures aux capacités de notre préadolescent peuvent très certainement provoquer une démotivation chez lui et entraîner des difficultés à l'école. Si nous n'encourageons que rarement notre enfant pour ses efforts ou que ses résultats scolaires ne semblent jamais assez élevés à nos yeux, nous affectons sa confiance. Il risque alors de se convaincre qu'il n'est pas assez bon ni à la hauteur et de se sentir tout simplement... incompétent (voir «Le stress et l'anxiété de performance chez nos jeunes», à la page 95).

### Les problèmes avec les amis
Un jeune peut être affecté sur le plan scolaire s'il a de la difficulté avec ses amis, s'il est ignoré par ses pairs ou même rejeté par eux. Les amis constituent un des principaux éléments de motivation à l'école, c'est pourquoi nous devons intervenir rapidement si c'est le cas (voir «L'importance grandissante des amis dans sa vie», à la page 195).

### L'immaturité
Certaines études indiquent que les plus jeunes élèves de la classe (ceux qui sont nés entre juillet et la fin de septembre) peuvent avoir un peu plus de problèmes que les autres à suivre le rythme. Leur manque de maturité contribuerait à leurs difficultés d'adaptation. Nous devons donc, comme parents, compenser cette lacune en soutenant notre jeune dans sa démarche et en lui offrant davantage de supervision et d'encadrement.

### La fatigue
La fatigue est un facteur fréquent de difficultés scolaires. Nos préadolescents doivent jongler avec bien des choses : l'école, le transport scolaire, les devoirs et les leçons, les activités parascolaires, les sports

et les loisirs, les amis et la famille. Leur emploi du temps est parfois beaucoup trop chargé et peut mener au surmenage, surtout si leurs heures de sommeil sont insuffisantes. Au-delà de l'âge de 9 ans, l'enfant devrait avoir un minimum de 9 à 10 heures de sommeil chaque nuit, sans quoi ses capacités d'apprentissage et de concentration risquent d'en être affectées. Si votre jeune trouve difficile de se lever le matin, qu'il veut faire une sieste en arrivant de l'école, que son enseignant vous dit qu'il est très fatigué en classe, c'est probablement parce qu'il manque de sommeil.

Les préadolescents ont besoin de plus de sommeil parce qu'ils sont dans une phase de changements intense sur les plans physique, intellectuel et affectif. Naturellement, pour eux, dormir est une perte de temps et ils veulent profiter au maximum de leurs soirées. Alors, souvenez-vous que votre préadolescent a encore besoin de limites et de règles. Comme parent, vous devez savoir que la fatigue a un impact direct sur sa capacité de concentration, sur sa motivation à exécuter ses travaux et sur sa mémoire. À vous de faire en sorte qu'il respecte le couvre-feu !

### Les troubles d'apprentissage

Certains problèmes scolaires peuvent être attribuables à des troubles d'apprentissage : dyslexie, dysphasie, déficit d'attention (avec ou sans hyperactivité), par exemple. Ces troubles, qui affectent environ 10 % de la population, ne sont pas liés à l'intelligence, mais plutôt à la façon dont le cerveau reçoit, organise et utilise l'information. Ce sujet est abordé plus en détail à la page 169.

### La capacité et le rythme d'apprentissage

Chaque jeune est différent et possède son propre rythme d'apprentissage. De plus, certaines méthodes d'enseignement conviennent mieux à certains élèves qu'à d'autres et il n'est pas toujours évident pour les enseignants de tenir compte des caractéristiques de chacun, surtout dans les classes surpeuplées. Il est également admis, sans généraliser, que l'expérience de l'école est, dans bien des cas, plus difficile pour les garçons que pour les filles : ils ont davantage besoin de bouger, sont moins attentifs en classe (ou le sont moins longtemps) et acceptent plus difficilement le cadre scolaire, moins bien adapté à leur tempérament.

Bref, les raisons pouvant expliquer les difficultés scolaires peuvent être nombreuses et complexes. Notre rôle comme parents consiste à tenter de les identifier et, surtout, à travailler avec notre jeune et avec le personnel scolaire afin de renverser la vapeur et de redonner à notre enfant le goût d'apprendre et de poursuivre ses études.

## Comment réagir face aux difficultés scolaires de mon jeune ?

Il n'est pas facile pour un parent de constater que son enfant éprouve des difficultés à l'école ou qu'il se dirige vers un échec scolaire. Certains auront du mal à l'accepter par fierté (ils voient l'échec de leur jeune comme une preuve de leur incapacité en tant que parents) ou parce qu'ils craignent que l'avenir qu'ils espéraient si brillant pour leur enfant soit compromis. Ils doivent alors trouver un équilibre entre leur désir de voir leur jeune réussir à tout prix et les *capacités réelles* de ce dernier. En tant que parents, notre *réaction* et notre *façon d'intervenir* ont une importance capitale. Voici quelques conseils à ce sujet :

1. **Faire preuve d'ouverture.** Même si vous avez de la difficulté à accepter la situation, vous devez travailler de concert avec les intervenants scolaires, de manière à soutenir votre enfant et à l'aider à surmonter ses problèmes. Montrez-vous *réceptif*. Plus vous collaborerez et entretiendrez une communication saine, soutenue et régulière avec son ou ses enseignants, plus les chances que la situation se corrige augmenteront.

2. **Bien cerner le problème.** Il est important de bien comprendre la situation et les causes des difficultés scolaires. Les mauvaises notes de votre enfant sont-elles liées à un problème purement scolaire (un problème d'apprentissage) ou à un problème extérieur qui affecte sa motivation et sa concentration en classe (problèmes familiaux, séparation, déménagement, intimidation, conflits avec les amis...)? Il faut aussi vérifier si la baisse des résultats est généralisée ou si elle ne concerne que quelques matières. Des problèmes extérieurs ont habituellement un impact global dans toutes les matières. En cernant bien les causes et l'étendue du problème, vous pourrez mieux définir le plan d'action en collaboration avec les intervenants de l'école.

3. **Établir un plan d'action avec l'enseignant et avec la direction de l'école.** L'étape suivante consiste à rencontrer l'enseignant afin de lui parler de votre jeune, de partager vos perceptions respectives de la situation : sa manière de réagir avec ses amis, sa façon de se comporter en classe, ses forces et ses faiblesses. N'ayez pas peur de parler de toute situation extérieure pouvant avoir un impact sur votre enfant. Ces éléments d'information peuvent expliquer, en tout ou en partie, le problème et peuvent changer complètement l'approche ou les moyens d'intervention mis sur pied pour aider votre préadolescent.

4. **Éviter les réactions négatives.** Il faut évidemment rester «zen» dans cette démarche et, surtout, éviter que votre jeune perçoive la chose comme une situation dramatique. Rien ne sert d'«envahir» votre préadolescent en exerçant un contrôle excessif sur lui, en le menaçant, en lui rappelant sans cesse les pires scénarios ou les conséquences possibles de ses difficultés, en le critiquant ouvertement, en le comparant à ses amis ou à ses frères et sœurs... Cela ne ferait que mettre une pression indue sur lui et aurait un effet contraire à celui recherché, en affectant sa

confiance, en le rendant anxieux et en freinant sa capacité d'apprentissage. Restez également discrets et ne mettez pas les amis et la famille inutilement au courant de ses difficultés. Cette attitude ne ferait que l'étiqueter et affecterait grandement son estime de soi. Donnez-lui plutôt la chance de préserver sa confiance en soi et son sentiment de compétence : il est capable !

## Mon enfant souffre-t-il d'un trouble d'apprentissage ?

Certaines difficultés scolaires peuvent être engendrées par un trouble d'apprentissage (TA), qui est parfois difficile à détecter, surtout quand notre enfant a un tempérament assez calme et qu'il ne manifeste aucun problème de comportement.

Un TA est un problème qui affecte la façon dont le cerveau organise, interprète, comprend ou utilise l'information. Il n'est aucunement lié à l'intelligence : les enfants qui ont un TA ont généralement un quotient intellectuel égal ou supérieur à la moyenne. Voici quelques-uns des symptômes à surveiller :

* Votre jeune fait constamment des erreurs de lecture et d'épellation, y compris inverser des lettres (b et d, par exemple).
* Il transpose les séquences de chiffres et confond les signes arithmétiques.
* Il apprend lentement (se fie énormément à la mémorisation).
* Il se souvient avec peine du nom des choses, des saisons, des mois, des rues.
* Il a de la difficulté à écrire (calligraphie).
* Il a de la difficulté à exprimer des idées et à raconter des événements précis.
* Il manque de coordination et présente des difficultés motrices.
* Il présente un retard de langage.

Parmi les troubles d'apprentissage, on retrouve, entre autres :

* **Le trouble de déficit d'attention, avec ou sans hyperactivité (TDAH).** L'enfant atteint de ce trouble a de la difficulté à fournir une attention plus ou moins soutenue. Ce problème le rend vulnérable aux difficultés scolaires : il est obligé de « mettre les bouchées doubles » pour suivre à l'école, mais il a de la difficulté à fournir les efforts supplémentaires pour se concentrer (voir « Le déficit d'attention et l'hyperactivité à la préadolescence », à la page 169).
* **La dyslexie/dysorthographie.** Il s'agit d'un trouble du langage écrit. Le dyslexique identifie des images, comprend les mots qu'il entend, mais éprouve de la difficulté à les lire (dyslexie) ou à les écrire (dysorthographie).
* **La dysphasie.** Ce retard du langage est caractérisé par une difficulté à différencier certains sons, à saisir les subtilités du langage et des mots et à exprimer ses idées (organisation de la pensée).
* **La dyspraxie (orale/motrice).** Dans ce cas-ci, le trouble affecte la coordination de l'enfant : il renverse tout, se cogne souvent, a de la difficulté à faire certaines tâches manuelles précises, à s'organiser et parfois même à articuler. Le jeune est donc souvent qualifié de maladroit ou de lunatique. C'est la motricité fine qui est le plus affectée ; ce n'est pas un trouble musculaire à proprement parler ni intellectuel. On distingue la dyspraxie orale (trouble de coordination de la langue, des lèvres et de la mâchoire) de la dyspraxie motrice (trouble de coordination des muscles et des articulations).
* **La dyscalculie.** Il s'agit d'une difficulté à calculer, à utiliser les nombres ou les formes géométriques, à lire l'heure ou à évaluer les distances. Ce trouble a évidemment un impact important sur les résultats en mathématiques, plus particulièrement.

Cette liste partielle constitue un survol des différents TA. Si votre enfant a des difficultés scolaires et présente certains de ces symptômes, il serait important de consulter le personnel de l'école afin d'obtenir une évaluation de la part d'un spécialiste (psychologue, orthophoniste, orthopédagogue, psychoéducateur, etc.).

## Comment puis-je aider mon préadolescent à surmonter ses difficultés ?

En fonction de l'information que vous récolterez en discutant avec le personnel scolaire, vous pourrez convenir ensemble d'un plan d'intervention.

S'il s'agit de problèmes purement scolaires dans quelques matières seulement, alors vous pourrez convenir avec les intervenants de l'école des moyens de récupération précis (périodes de rattrapage à l'école, travaux supplémentaires à la maison, suivi plus serré lors des devoirs, entre autres). Dans le cas de problèmes plus globaux, votre jeune aura peut-être besoin d'un encadrement particulier. Retenir les services d'un tuteur pour l'aider à faire ses devoirs et à réviser la matière vue en classe peut s'avérer une très bonne solution. Il existe également des périodes d'étude surveillées et dirigées (aide aux devoirs) ; elles permettront à votre jeune de faire son travail en présence d'un adulte, qui pourra le superviser et le soutenir.

Dans les cas plus complexes, le personnel enseignant et la direction de l'école seront en mesure de conseiller l'aide appropriée. Certains spécialistes – orthopédagogue, psychoéducateur, orthophoniste, psychologue, éducateur spécialisé, etc. – pourront bien cerner le ou les problèmes et trouver des solutions. N'hésitez pas à faire appel aux ressources disponibles dans le milieu scolaire afin d'établir un plan d'action approprié à la situation de votre jeune. Ensuite, effectuez un suivi régulier auprès des intervenants scolaires et, surtout, conservez en tout temps une bonne communication école-maison.

## Comment motiver mon jeune à l'école ?

La motivation est à la base de la réussite scolaire : c'est le moteur qui pousse nos enfants à faire les efforts requis pour réussir. Elle est même aussi importante que les capacités intellectuelles. Bien des jeunes possèdent le potentiel intellectuel pour réussir mais ne sont pas motivés, alors que d'autres ayant des capacités moindres réussissent parce qu'ils le désirent ardemment.

Fait important : la motivation n'entraîne pas nécessairement les bonnes notes, mais plutôt les *bons efforts*. De plus, on ne peut pas forcer son jeune à avoir le goût d'apprendre (motivation intrinsèque), mais on peut l'encourager à apprendre ou susciter chez lui cette disposition par des moyens externes (motivation extrinsèque).

*Les sources de démotivation*

Certains éléments peuvent démotiver notre enfant. Les principaux sont :

* **Les difficultés scolaires.** Les mauvais résultats scolaires obtenus de façon soutenue peuvent évidemment affecter la confiance et la motivation d'un jeune.

* **Le rejet social.** Les conflits avec les amis, le rejet, l'intimidation peuvent provoquer un désintérêt envers l'école et même susciter le désir d'y échapper à tout prix. Tout devient prétexte à ne pas y aller ! Si c'est le cas de votre enfant, n'hésitez pas à en parler avec lui et avec le personnel scolaire afin de bien comprendre ce qui se passe et d'intervenir comme il convient (voir « L'intimidation chez nos jeunes », à la page 133).

* **L'absence du sentiment d'appartenance.** Le sentiment d'appartenance à l'école contribue fortement à la motivation scolaire des jeunes. Il procure un sentiment de bien-être et de détente. L'enfant a hâte d'y aller pour revoir ses amis, les enseignants, les divers intervenants et pour tremper dans ce milieu si effervescent... Si votre enfant n'apprécie pas ce petit côté « social » stimulant, il sera peut-être moins motivé à aller à l'école.

✱ **Le désintéressement des parents face à l'école.** Notre attitude face à tout ce qui touche l'école a un énorme impact sur la motivation de notre jeune. Même à la préadolescence, notre enfant a besoin de notre soutien en ce qui a trait à sa réussite scolaire. N'oubliez surtout pas que s'intéresser à la vie scolaire de votre enfant, c'est s'intéresser à lui!

*Les sources de motivation*
Pour contrer la démotivation face à l'école ou pour encourager notre enfant à continuer sur sa lancée, voici quelques suggestions:

✱ **Utiliser les récompenses.** Offrez à votre jeune une stimulation supplémentaire par des gratifications immédiates qui lui permettront de voir que son travail lui procure des bénéfices à court terme, et pas seulement à long terme. Lorsqu'il a fait des efforts ou qu'il présente des progrès, félicitez-le, autorisez-le à faire une activité spéciale, une sortie qu'il appréciera beaucoup. Il faut cependant faire preuve de discernement et utiliser les récompenses avec retenue.

✱ **Souligner ses moindres succès et ses efforts.** L'apprentissage et la motivation scolaires sont très liés à l'affectivité. Soulignez constamment les forces de votre enfant et ses moindres réussites; par exemple, affichez ses bons coups sur le réfrigérateur. Il est important de souligner ainsi tout effort, toute amélioration ou tout succès; cela encouragera votre enfant à poursuivre son bon travail.

✱ **Devenir un bon «coach» scolaire.** Les parents ne devraient-ils pas motiver leurs enfants face à l'école au moins autant qu'ils le font dans le domaine des sports? Bien des parents prennent à cœur les activités sportives (telles que la natation, le patinage, le hockey, le soccer) de leurs jeunes et les encouragent sans relâche. Ils peuvent donc être très convaincants et c'est cet intérêt, cette attitude et cette motivation qu'ils devraient manifester face à l'école.

✱ **Garder une bonne attitude vis-à-vis des difficultés scolaires.** Notre *réaction* et notre *façon d'intervenir en ce qui a trait aux mauvais résultats* de notre jeune sont extrêmement importantes et peuvent avoir un sérieux impact sur sa motivation scolaire (présente et future). Une réaction excessive ou négative décourage notre jeune, le démotive, attaque son estime de soi et sa confiance en soi et, finalement, risque de le détourner encore davantage de l'école.

✱ **Favoriser l'estime de soi et le sentiment de compétence.** L'estime de soi et la confiance en ses capacités sont souvent déficientes chez le jeune démotivé par l'école. Il se décourage facilement (parfois avant même d'avoir commencé) et a de la difficulté à définir ses forces ainsi que ses qualités. C'est d'abord nous, parents, qui avons un impact sur l'estime et la confiance de notre enfant. Tous les élèves devraient avoir une bonne perception d'eux-mêmes pour être heureux et réussir à l'école, et nous pouvons fortement contribuer à développer cette confiance. Les commentaires suivants sont donc à éviter :

*« Eh que t'es lent... »*
*« T'es nono des fois. »*
*« Tu ne comprends jamais rien ! »*
*« T'es vraiment paresseux ! »*
*« Ton frère avait des A à l'école et je l'aidais même pas ! »*
*« J'espère juste que tu vas finir ton secondaire. »*

Le sentiment de compétence permet à l'enfant de se sentir capable de faire quelque chose, capable de *réussir*. C'est au cours de son apprentissage et, surtout, grâce à ses réussites successives (à la maison et à l'école) que le jeune développe sa confiance, qui est à la base de la motivation. Mais au cours de son développement,

>

> notre enfant ne vivra pas que des réussites. Les erreurs, les difficultés, les échecs font partie intégrante de son apprentissage de la vie. Devant ceux-ci, nous devons faire preuve de prudence, éviter de les percevoir négativement et tenter d'aider notre enfant à les affronter *positivement sans affecter sa confiance.*

## Que faire si mon enfant ne manifeste aucun intérêt ?

Malgré tous les efforts et la bonne volonté de leurs parents, certains jeunes persistent à ne manifester aucun intérêt pour l'école. Ils ne sont pas réceptifs, font tout pour éviter de se mettre au travail, ne veulent pas faire d'efforts, se limitent toujours au minimum demandé et semblent tout à fait indifférents à leurs résultats scolaires et aux conséquences qui peuvent en découler. Cette attitude est très éprouvante pour les parents et il est facile alors pour eux de penser « qu'il n'y a rien à faire ». Cependant, ce comportement peut révéler un malaise plus profond qu'il faut tenter de cerner.

Une telle attitude peut être attribuable, entre autres, à ce qu'on appelle le « syndrome de l'échec ». Ce syndrome peut se développer chez un élève qui a vécu de nombreuses difficultés scolaires et dont le quotidien, les évaluations, les enseignants, les notes, les images renvoyées par les parents ou les amis ont martelé son estime de soi et sa confiance en soi. Le milieu scolaire et les difficultés que l'enfant y vit peuvent lui envoyer une image de lui-même blessante et humiliante dont il voudra se prémunir en se forgeant progressivement une « carapace » ou en adoptant des comportements d'évitement. Ces jeunes vont, de surcroît, exprimer publiquement leur désintérêt envers l'école, manifester de l'opposition ou se replier sur eux-mêmes pour se protéger.

Les jeunes qui manifestent, en tout ou en partie, de tels comportements ont clairement besoin d'un soutien efficace afin de rebâtir leur confiance et d'avoir, comme tous les élèves qui aspirent à réussir, une bonne perception d'eux-mêmes et de l'école. N'hésitez pas à faire appel aux différentes ressources disponibles pour vous guider et vous aider si votre enfant vit cette situation.

## Comment intervenir face aux devoirs?

La période des leçons et des devoirs est source de tension entre plusieurs parents et leurs enfants. Alors que notre préadolescent fait tout pour éviter de s'asseoir à la table ou à son bureau, et que son attention est constamment détournée par la moindre distraction, nous devons prendre tout notre courage et, surtout, le peu d'énergie qu'il nous reste pour le motiver et le guider adéquatement. Dans bien des cas, tout ce processus revêt un réel caractère de « corvée ». Voyons comment rendre cette période plus agréable pour tous.

*Une période essentielle*

Les devoirs servent à exercer les habiletés acquises durant la journée ou les jours précédents. Ces activités permettent aux enseignants de vérifier si chaque élève a bien compris la matière. Les leçons, elles, amènent les jeunes à mémoriser et à consolider les nouvelles connaissances qu'ils utiliseront par la suite.

Parce qu'ils se sentent très concernés par la réussite ou le bien-être de leur enfant, de nombreux parents tentent de prendre le plein contrôle de sa vie scolaire, y compris les leçons et les devoirs. Ils s'approprient volontairement le rôle d'enseignant, qu'ils peuvent facilement transformer en véritable policier! D'autres choisissent plutôt de limiter leur implication, mais ils se demandent quel est le bon dosage sur ce plan. Enfin, certains évitent tout simplement d'intervenir et laissent leur jeune se débrouiller seul. Comment trouver le juste milieu? Quel est notre rôle comme parents et jusqu'à quel point devrions-nous nous impliquer dans les leçons et les devoirs? Je vous propose quelques pistes.

✻ **Nous ne sommes pas son enseignant!** Après leur journée de travail, certains parents s'attaquent à leur second mandat: celui d'enseigner. Voilà une erreur très commune. Le vrai rôle du parent durant la période des devoirs et des leçons consiste *à guider et à soutenir son enfant*, et non pas à enseigner. L'école a bien changé depuis l'époque de nos classes, ce qui veut dire que les programmes et les méthodes d'apprentissage actuels sont très différents de ceux qui avaient cours «dans notre temps». Comme ils n'utilisent pas nécessairement les mêmes méthodes que les enseignants d'aujourd'hui, les parents qui s'improvisent profs risquent de semer la confusion chez leur enfant, qui ne s'y retrouvera plus. Bref, ils lui nuisent plus qu'ils ne l'aident. D'autres parents prétendent se sentir impuissants devant les leçons et les devoirs de leur enfant; ils affirment ne pas avoir les connaissances requises pour l'épauler adéquatement dans ses travaux à la maison. Raison de plus pour concentrer ou limiter leurs efforts à superviser, à guider et à encourager!

✻ **Une supervision modérée.** Il faut évidemment éviter de laisser nos préadolescents se débrouiller seuls. Même à cet âge, ils ont besoin d'un minimum de supervision et de directives afin de pouvoir développer leur sens de l'organisation et acquérir des trucs et des méthodes de travail. Plusieurs jeunes éprouvent certaines difficultés à s'organiser ou à faire face aux responsabilités liées aux devoirs et aux leçons. Par notre supervision, nous pouvons leur enseigner comment y arriver.

✻ **Le développement de son autonomie.** Évidemment, superviser son enfant ne veut pas dire rester assis à ses côtés tout le temps que durent ses devoirs et le suivre pas à pas! Il est important d'appliquer le dosage adéquat afin de stimuler son autonomie, surtout en période de préadolescence. Pour éviter que votre enfant s'attende à ce que vous restiez toujours assis avec lui, offrez-lui votre appui seulement lorsqu'il en a besoin et n'hésitez pas à vaquer à d'autres occupations pendant qu'il travaille.

Notre rôle comme parents ne se limite pas à la supervision des devoirs ; nous devons également nous assurer que cette période ne tourne pas en cauchemar ni ne devienne une source de tension quotidienne. Comment rendre ce moment de la journée intéressant et stimulant ? Voici quelques conseils :

*Un environnement adéquat*
L'environnement de travail du jeune doit être propice aux devoirs. Pour cela, il convient d'éloigner tout élément qui pourrait le distraire : télévision, musique, ordinateur (sauf s'il sert aux devoirs), etc. Il n'est certainement pas recommandé de faire ses devoirs et ses leçons devant la télé ou en clavardant avec des amis ! Assurez-vous que la surface de travail est assez grande pour que votre enfant s'y sente à l'aise et qu'il puisse y déposer ce dont il a besoin pour bien travailler. Il doit aussi avoir un éclairage suffisant ainsi que tout le matériel nécessaire à portée de main (gomme à effacer, règle, cahiers, crayons, stylos...). N'oubliez pas qu'un bon environnement de travail pour faire ses devoirs et ses leçons favorise la concentration de votre enfant et sa motivation.

*Une routine des devoirs*
Il est recommandé de prévoir un moment *fixe* ou un horaire précis et régulier pour les devoirs et les leçons. Tout en tenant compte de vos propres disponibilités, essayez de déterminer le moment où la concentration de votre jeune est à son maximum. Pour certains, c'est au retour de l'école (avant le repas) et pour d'autres, c'est après avoir « fait le vide » en s'adonnant à une activité différente (sport, jeux...), surtout chez les garçons, ou après avoir pris un bon bain. En établissant des heures précises et fixes, *vous éviterez les longues négociations* puisque votre jeune saura à quoi s'attendre. Cet horaire deviendra une routine intégrée dans sa vie.

Cette routine devra également tenir compte de la *durée* des devoirs et des leçons, surtout si vous sentez que votre jeune s'empresse de les finir pour aller regarder la télé ou jouer à l'ordinateur. En ayant convenu à l'avance du moment et de la durée des devoirs (de 18 h à 18 h 30, par exemple), vous lui faites comprendre que rien ne sert de précipiter les choses.

### Une attitude calme et positive

Le temps des devoirs et des leçons s'apparente trop souvent à une corvée pour les parents, et nos jeunes le ressentent, évidemment. Pour que notre enfant soit motivé, nous devons être convaincus nous-mêmes de l'importance des travaux scolaires à la maison. Il est donc essentiel d'adopter une attitude positive :

* Ne pas critiquer ouvertement la quantité de devoirs ou de leçons.
* Rester détendu quand ça va moins bien.
* Faire preuve de créativité et d'humour pour encourager notre enfant ou pour désamorcer une situation tendue.

Il faut également veiller à ce que les périodes de devoirs ou d'étude ne soient pas trop longues pour ne pas que notre jeune ait l'impression que l'école ne finit jamais. Favoriser les leçons et les devoirs pendant la fin de semaine constitue un bon moyen d'alléger le fardeau : les jeunes (tout comme les parents !) sont alors plus reposés et réceptifs.

### Quand l'enfant refuse de faire ses devoirs...

Certains jeunes refusent carrément de faire leurs travaux scolaires. Chaque soir, ils affrontent leurs parents à ce sujet, prétendent les avoir faits à l'école ou affirment tout simplement qu'ils n'en ont pas. D'autres, par manque de motivation, ne fournissent qu'un minimum d'efforts ; ils sont expéditifs, alors leurs travaux manquent de soin ou sont carrément bâclés.

Dans ces cas-là, il est clair que le rôle des parents en est un d'autorité : ils doivent ramener leur enfant à l'ordre et lui faire comprendre que la période des leçons et des devoirs n'est pas négociable ni facultative. Ils doivent également faire un suivi plus serré de ce qui est demandé par l'enseignant et de ce qui est réellement fait par leur jeune.

## Quand les choses tournent mal...

Si la période des devoirs tourne toujours en crise, il faut prendre du recul et revoir notre façon de faire. Si la situation s'envenime, mieux vaut ne pas insister, mais plutôt tout arrêter, quitte à reprendre le tout plus tard ou à demander à l'autre parent de prendre la relève, et ce, *avant de s'énerver ou de laisser monter la tension.*

Le climat affectif que nous entretenons avec notre jeune pendant la période des devoirs est très important : il a un effet direct sur sa perception de l'école et, à la longue, sur sa volonté de réussir. Lorsque la période des devoirs et des leçons devient une source de tension et de conflits si grands que cela mine votre relation, mieux vaut diminuer l'importance que vous lui accordez et réévaluer votre approche. Il ne faut surtout pas que cette période devienne destructrice.

## Comment réagir face au bulletin ?

La plupart des parents attendent le bulletin avec impatience, puisque c'est un moyen rapide de savoir si leurs jeunes vont bien à l'école. Ce bilan leur fournit de nombreux renseignements sur les performances et les comportements de leurs enfants. Un bon bulletin ne pose en général aucun problème ; au contraire, il permet à l'enfant d'être fier de lui et de partager sa réussite avec ses parents. Il en va tout autrement quand le bilan est moins positif.

Comment devons-nous réagir dans ce cas ? Quelle attitude devons-nous adopter ? Voici quelques recommandations à ce sujet :

1. **Prendre le temps de consulter le bulletin.** Examinez le bulletin seul (ou entre parents), sans la présence de votre enfant, afin de prendre le temps d'en saisir les particularités, les points forts, les améliorations et les points à améliorer.

2. **Regarder le bulletin avec son jeune.** Après avoir bien compris le bulletin, prenez un moment pour être seul avec votre enfant, loin de toute distraction et de la routine quotidienne (repas, devoirs...). C'est une bonne façon de lui permettre de *s'approprier* ses résultats. Cela responsabilise l'élève face à l'école. Bien des jeunes n'ont pas l'occasion de consulter *leur* bulletin et certains ne savent même pas quels résultats ils ont obtenus ou à quel niveau se situe leurs progrès et leurs difficultés !

3. **Souligner les points positifs.** Félicitez d'abord votre jeune pour les bons résultats, les signes d'efforts, les progrès ainsi que pour les bons comportements mentionnés par l'enseignant. Cela lui permet de préserver son estime de soi.

4. **Souligner les améliorations.** Que les résultats soient bons ou non, vous devez mettre l'accent sur *toutes les améliorations que votre jeune a apportées.* Il est inutile de comparer ses résultats avec la moyenne du groupe ou avec les notes de son frère ou de sa sœur. Il faut avant tout regarder sa propre évolution. Si vous constatez que les résultats se sont améliorés par rapport à ceux du trimestre précédent, mentionnez-le et félicitez votre enfant : « Bravo, tu t'es amélioré ! Continue comme ça, tu es sur la bonne voie. » Le fait que vous mettiez l'accent sur les améliorations de votre jeune et sur les efforts qu'il a fournis sera pour lui une source de motivation et de confiance en soi.

5. **Discuter des problèmes et des solutions.** Devant les mauvaises notes qui ne reflètent aucune amélioration, adoptez une attitude conciliante, et discutez avec votre enfant des raisons qui peuvent expliquer ces résultats et des solutions possibles : étudier davantage, assister aux périodes de récupération, par exemple.

Bref, rien ne sert de hausser le ton, de réprimander son jeune ou de le punir à cause d'un mauvais bulletin. Il faut plutôt avoir avec lui une discussion constructive et établir un plan d'action avec son enseignant, si cela est nécessaire. Si vous adoptez une telle attitude, votre enfant comprendra que, peu importe ses résultats, vous serez réceptif et ouvert ; il saura que le but de cette rencontre est de faire ensemble un bilan et de trouver des solutions aux problèmes.

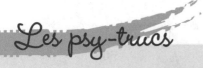

1. Ne pas percevoir les difficultés de notre jeune comme un « échec parental personnel » et ne pas mettre en cause pour autant ses chances de succès dans la vie.

2. Réagir rapidement devant ses difficultés : plus on intervient rapidement, meilleures sont ses chances de rattraper le retard et de reprendre la voie de la réussite avant le secondaire.

3. Éviter les réactions négatives ou excessives qui donneraient l'impression à l'enfant que la situation est dramatique ; cela ne ferait qu'affecter son estime de soi et mettrait sur ses épaules une pression inutile et malsaine.

4. Rester discret concernant les difficultés de notre préado pour éviter qu'il soit étiqueté et pour lui donner la chance de préserver sa confiance en lui-même et son sentiment de compétence.

5. Mettre l'accent sur les forces et les qualités de notre jeune. Encourager tous les efforts qu'il fait et afficher ses bons coups.

6. Ne pas hésiter à consulter le personnel enseignant et les spécialistes de l'école si on suspecte un problème plus important chez notre enfant (par exemple, un trouble d'apprentissage).

7. Prendre conscience du fait que la motivation est à la base de la réussite scolaire et que nos enfants sont rarement « paresseux », mais qu'ils peuvent être démotivés.

8. Montrer de l'intérêt à notre enfant, s'intéresser à ce qu'il fait à l'école. Pour qu'un jeune aime l'école, il faut avant tout que *les parents eux-mêmes* soient motivés face à tout ce qui s'y rattache.

9. Établir une routine des leçons et des devoirs : convenir de la période de la journée et de sa durée. Éviter les négociations récurrentes à ce sujet.

10. Favoriser les leçons et les devoirs la fin de semaine, enfants et parents étant tous plus reposés, patients et réceptifs à ce moment-là.

11. Créer un environnement propice aux devoirs : sans distractions, avec une surface de travail, du matériel et un éclairage adéquats. Surtout, pas de devoirs devant la télévision ou en clavardant !

12. Arrêter les devoirs si la tension monte : mieux vaut ne pas insister. Reprendre le tout plus tard ou demander à l'autre parent de prendre la relève.

13. Ne pas se montrer trop exigeant et garder ses attentes à la hauteur des capacités de l'enfant. Respecter son rythme d'apprentissage.

14. Prendre le temps de regarder le bulletin scolaire. Souligner les points positifs et les améliorations.

# Mon préadolescent est impoli et irrespectueux

*Les questions que tout parent se pose :*

* Pourquoi mon préadolescent est-il impoli ou irrespectueux ?
* Comment intervenir comme parent ?
* Pourquoi sa relation avec son frère ou sa sœur est-elle si difficile ?

« Tu veux jamais, c'est toujours la même chose avec toi ! », « T'as vraiment pas rapport ! », « T'es nulle, tu comprends rien ! », « Qu'est-ce que tu veux encore ? » De tels propos insolents et inacceptables, bien des préadolescents en adressent à leurs parents. Leur affirmation de soi grandissante justifie-t-elle des paroles de ce genre ?

### Pourquoi mon préadolescent est-il impoli ou irrespectueux ?

Votre enfant vit présentement sa phase de puberté et les nombreux changements physiques et psychologiques qui en découlent. Durant cette période, bien des jeunes manifestent une attitude plus défiante ou revendicatrice, accompagnée souvent d'une insolence ou d'un manque de respect à faire frémir tout parent. Pourquoi en est-il ainsi ?

*Un problème générationnel ?*

« Les jeunes d'aujourd'hui respectent de moins en moins les adultes. » C'est ce qu'affirment bien des parents, qui s'indignent des marques d'impolitesse, d'insolence et d'irrespect dont ils sont l'objet. Nous avons parfois l'impression que la situation va de mal en pis et que ce n'était « certainement pas comme ça » lorsque nous étions préados. Mais est-ce vraiment le cas ?

« *Notre jeunesse [...] est mal élevée, elle se moque de l'autorité et n'a aucune espèce de respect pour les anciens. Nos enfants d'aujourd'hui [...] ne se lèvent pas quand un vieillard entre dans une pièce, ils répondent à leurs parents et bavardent au lieu de travailler. Ils sont tout simplement mauvais.* »

Curieusement, cette citation est tirée d'un texte du philosophe Socrate (470-399 av. J.-C.)! De multiples extraits de textes, de toutes époques, évoquent cette vision peu réjouissante de la génération suivante et ils semblent toujours d'actualité! Ne soyons donc pas trop critiques envers nos jeunes et essayons, dans un premier temps, d'éviter les préjugés et les généralités.

### Un problème de société?

C'est un fait indéniable : au cours des dernières décennies, il y a eu un changement important dans la méthode d'éducation des enfants. Comme société, nous avons rejeté (avec raison) la discipline autoritaire fondée sur la domination, voire sur l'abus de pouvoir envers les enfants et nous avons redonné à ces derniers le respect auquel ils ont droit. Les jeunes d'aujourd'hui s'expriment donc plus ouvertement et librement (on leur donne même la priorité!), mais ils négocient ou contestent tout autant. Et en ce qui concerne l'autorité parentale, on constate parfois un certain laisser-aller : on a perdu de vue le rôle important que doit jouer le parent, le rôle d'autorité.

Soyons clairs : il est évident que notre jeune a le droit de s'exprimer, mais ce droit ne lui permet pas d'être impoli, d'insulter les autres ou de leur manquer de respect. C'est peut-être sur ce plan que bien des parents ont perdu le contrôle...

*Un problème d'éducation dès la petite enfance ?*

La politesse n'est pas innée, c'est un *apprentissage* qui se vit dans le quotidien et qui commence dès le bas âge. Si nous n'intervenons pas aux moindres manifestations d'impolitesse à la petite enfance, le problème ne fera que s'amplifier avec le temps et pourra même prendre des proportions qui dépasseront notre contrôle et nos capacités comme parents. Ainsi, un enfant de 4 ans dont on tolère des paroles insolentes (qui peuvent parfois sembler anodines), telles que «Donne-moi du lait», «T'es pas fine», «J't'aime plus», tiendra probablement des propos plus menaçants ou confrontants à la préadolescence et à l'adolescence. Il sera alors plus difficile de renverser la vapeur et de changer cette habitude.

*La résignation des parents ?*

On le sait, à la préadolescence et à l'adolescence, nos jeunes vivent une période intense qui exige souvent plus d'énergie, de discussions et d'interventions de la part des parents que lorsqu'ils étaient enfants. Dans ce contexte, il n'est pas toujours évident de rester fermes et d'assurer (ou de préserver!) notre autorité au quotidien. Pas étonnant que plusieurs parents, épuisés, fatigués, exaspérés, décident de «lâcher prise» quelque peu. Il est même possible qu'ils le fassent sans trop s'en rendre compte. Et c'est ainsi que les manifestations d'impolitesse et d'irrespect s'installent graduellement.

Nos enfants testent fréquemment nos limites et tentent de les repousser. Un laisser-aller de notre part peut évidemment, à la longue, nous amener à faire le constat suivant: notre jeune est devenu impoli et il se permet maintenant des comportements qui n'étaient pourtant pas tolérés avant. Difficile alors de regagner le terrain perdu.

En tant que parents, nous ne devons pas oublier que répéter et intervenir quand notre enfant présente un comportement déviant fait partie de notre rôle, même à la préadolescence. La politesse est un apprentissage qui se vit au jour le jour.

### L'influence des amis ?

Si votre enfant, habituellement poli et respectueux, manifeste soudainement des comportements insolents et que vous notez un certain relâchement de sa part, il subit peut-être la mauvaise influence de ses amis. À la préadolescence, notre jeune a de plus en plus besoin de fréquenter des jeunes de son âge, d'avoir des amis proches, d'avoir une «gang» de copains. Ces amis prendront graduellement de l'importance, au point où il se tournera vers eux pour combler son désir de s'affirmer, de se valoriser et de s'identifier. L'influence qu'ils auront sur lui entrera progressivement en concurrence avec celle des parents (voir «L'importance grandissante des amis dans sa vie», à la page 195).

### Une question d'affirmation ?

Sans justifier l'impolitesse de nos jeunes préados, nous pouvons au moins chercher à comprendre ce qui les pousse ainsi à s'affirmer bien malhabilement. La phase de la puberté est marquée par un nombre important de changements physiques et psychologiques qui ont une incidence sur le comportement ou le caractère de notre jeune : irritabilité, agitation, fierté, écarts de conduite et multiples sautes d'humeur. À cet âge, notre enfant a besoin de couper graduellement le cordon parental et recherche sa propre identité. Critiquer, répondre, lever le ton et même lancer des insultes, deviennent des moyens d'exprimer leur indépendance (de façon bien maladroite, on en convient). *Il ne faut pas pour autant laisser aller ou tolérer ces attitudes*; toutefois, en sachant pourquoi notre jeune agit ainsi, nous pouvons réagir et intervenir de façon plus modérée, éviter les crises et entamer une discussion dans le calme.

### Comment intervenir comme parent ?

La politesse, le savoir-vivre et le respect ne sont certainement pas des notions dépassées, et pourtant, nous semblons y accorder un peu moins d'importance, au nom de la liberté d'expression de notre enfant ou parce qu'il est parfois plus simple de le laisser faire et dire ce qu'il veut. C'est une erreur ! Inculquer ces notions de base à notre jeune, c'est lui rendre service. Un enfant bien élevé est toujours gagnant : il sera plus agréable pour les autres, aura une meilleure qualité de vie sur le plan social et, par surcroît, une meilleure estime de soi. À l'inverse, un jeune qui ne sait pas se comporter correctement va en subir les conséquences, aujourd'hui et dans l'avenir. Il sera jugé par les adultes, les enseignants, le futur employeur et les collègues de travail...

Les notions de politesse de base sont bien connues : dire « bonjour », « s'il vous plaît », « merci », demander au lieu d'exiger (« Peux-tu me donner la télécommande, s'il te plaît ? » au lieu de : « Donne-moi la télécommande ! »). Et n'oublions pas les règles de savoir-vivre courantes : laisser sa place aux personnes âgées ou à mobilité réduite dans l'autobus et le métro, tenir la porte, répondre poliment et de façon accueillante au téléphone, bien se tenir à table... Ces notions doivent être inculquées et répétées sans relâche.

Vous constatez que votre enfant est impoli, insolent ou irrespectueux ? Ou vous avez réalisé qu'il avait pris certaines mauvaises habitudes récemment ? Rassurez-vous : même s'il a atteint la préadolescence, il n'est pas trop tard pour corriger le tir. À partir du moment où vous prenez conscience du problème, vous avez déjà la moitié du chemin de fait !

### Un apprentissage continuel

Dans la frénésie de nos journées où tout va toujours vite, nous avons parfois tendance à oublier l'essentiel. La politesse de base est de moins en moins présente dans nos maisons et cela se reflète également à l'école. Notre rôle comme parents est d'inculquer à nos enfants les notions de politesse *dans le quotidien*, peu importe leur âge. Nous sommes parfois étonnés de devoir rappeler de nouveau à la préadolescence (et même à l'adolescence !) certaines règles de base que l'on croyait pourtant acquises ! Il faut effectivement les répéter jour après jour.

### Bien établir les limites et les règles

Nous devons communiquer clairement nos demandes et nos règles de base à nos enfants. Nous devons également nous assurer qu'ils comprennent ces règles afin qu'ils puissent bien les intégrer dans leur comportement. Par exemple, ils doivent accepter le fait qu'il est important de s'autocensurer et qu'ils ne doivent pas agir avec nous (ou avec tout autre adulte) comme s'ils étaient en présence d'un ami. Il faut toujours respecter la limite parent/enfant : nous ne sommes pas leurs amis, ils doivent faire cette distinction.

### Tolérance zéro

Il est essentiel d'établir un cadre fixe et non négociable concernant la politesse et le respect. Ce n'est pas parce que notre jeune a atteint l'âge de la puberté que nous devons être plus flexibles à ce sujet. La préadolescence est une période d'autonomie *conditionnelle* : nous acceptons de faire des compromis sur certaines choses, alors que d'autres demeurent fixes, dont la politesse et le respect, pour lesquels c'est tolérance zéro. C'est comme faire un arrêt au coin d'une rue quand on conduit : nous n'avons pas le choix, le code de la route l'exige ! La notion de politesse doit être suivie tout aussi rigoureusement que ce code par notre jeune.

### Servir soi-même d'exemple

La première règle à suivre, c'est, évidemment, de donner nous-mêmes l'exemple en étant polis et respectueux envers notre jeune. C'est au sein de la famille qu'il acquiert l'essentiel de son éducation. Il sera donc inutile de lui rappeler les règles de politesse et de respect si nous ne les appliquons pas nous-mêmes, plus particulièrement envers lui ! Même si notre préado manifeste temporairement des comportements indésirables, il enregistre quand même, jour après jour, ce qu'il voit autour de lui et en prendra sûrement exemple, tôt ou tard.

### Intervenir quand il le faut

Peu importe l'éducation et les valeurs offertes à nos enfants pendant toutes ces années, tout préadolescent aura tendance à exprimer son désir d'autonomie et d'affirmation en tentant d'enfreindre les règles qui, pourtant, semblaient acquises. Il n'en tient qu'à nous de ne pas laisser aller les choses et d'intervenir adéquatement :

✳ **Toujours intervenir.** Ne faites jamais la sourde oreille aux impolitesses de votre enfant et ne laissez jamais passer ces comportements comme si de rien n'était. Cela lui envoie le message qu'à l'avenir, vous pourriez accepter ou tolérer cette situation. N'oubliez pas que l'impolitesse, c'est tolérance zéro. Il ne s'agit pas non plus de lui dire simplement qu'il est impoli ; expliquez-lui clairement de quelle façon vous voulez qu'il vous réponde.

✳ **Éviter les réactions excessives.** Si vous réagissez de manière excessive lorsque votre jeune est insolent et qu'à tout coup la situation dégénère en discussion houleuse ou en crise, vous pourrez difficilement faire passer votre message : l'importance du respect. Ne montez donc pas sur vos grands chevaux chaque fois qu'il dit un mot déplacé et essayez de faire part de votre désaccord calmement, avec respect !

✳ **Imposer des conséquences ou des punitions.** Lorsque les comportements d'impolitesse sont occasionnels, un simple avertissement peut suffire : « Ne me parle pas de cette façon, je suis ta mère », « Change de ton quand tu me parles » « Tu pourrais dire "s'il te plaît", non ? » Par contre, si ces comportements sont fréquents, voire constants, il y a lieu de sévir en imposant une conséquence ou un retrait de privilège. Par exemple, si la situation ne change pas, vous pourriez réduire ou couper l'accès à la télévision, interdire les jeux vidéo pour un temps, lui demander de se coucher plus tôt... (voir « Il défie notre autorité ! (La discipline) », à la page 151).

✳ **Discuter des raisons de son comportement.** Il est normal que nos préados aient parfois tendance à s'opposer à leurs parents ou à manifester, à l'occasion, des signes d'irrespect ou d'impolitesse envers nous. Par contre, lorsque cela devient récurrent, que cela semble faire partie de son attitude en général et au quotidien, il y a lieu de s'interroger. Un jeune qui devient insolent, irritable ou agressif vit probablement une situation difficile. Il est important d'essayer de comprendre ce qui se passe.

✳ **Demander de l'aide.** Si le problème perdure, que vous n'arrivez pas à entamer une discussion ouverte avec votre préado ou que son comportement semble indiquer qu'il vit une situation difficile que vous ne parvenez pas à cerner avec lui, l'aide d'un intervenant peut être fort utile.

Peu importe la situation, il n'est jamais trop tard pour intervenir. Plus on agit rapidement, plus les résultats sont concluants et plus ce sera facile à l'adolescence.

## Pourquoi sa relation avec son frère ou sa sœur est-elle si difficile ?

Ces fameuses querelles entre frères et sœurs sont monnaie courante, et ce, à divers degrés. En fait, les parents trouvent souvent qu'en plus de ne pas avoir de fin, elles constituent la partie la plus exaspérante de leur rôle parental ! Les moqueries, les provocations, l'impolitesse, les insultes, les surnoms peuvent même devenir une source importante de stress dans la famille, au grand découragement de bien des parents qui ne savent plus comment s'y prendre et finissent parfois par s'y résigner.

Les querelles sont évidemment normales et permettent à nos jeunes d'apprendre à argumenter, à négocier les uns avec les autres, à résoudre des conflits et à faire des compromis. Ce sont là des apprentissages qui ont toute leur importance et qui seront certainement fort utiles dans leur vie. Malgré tout, il faut savoir quand intervenir avant que cela ne dégénère en insultes ou en humiliations.

En règle générale, il est conseillé de laisser les enfants régler eux-mêmes leurs conflits. Par contre, lorsqu'il s'agit d'impolitesse, de surnoms, d'insultes ou d'humiliations, on se doit d'intervenir avec la même règle de base : tolérance zéro ! Il est essentiel de ne jamais laisser les disputes dégénérer et de ne pas tolérer des paroles ou des gestes violents, dénigrants, humiliants ou méprisants. Évitez les consignes vagues du genre : « Sois gentil avec ta sœur », car aucune conséquence n'est alors rattachée au manque de respect. Évitez également d'imposer à l'aîné de toujours faire les compromis sous prétexte qu'il est le plus grand et qu'il doit donner l'exemple. Le petit dernier n'a pas le droit, lui non plus, d'être impoli avec son frère ou sa sœur.

Il faut donc intervenir auprès de nos jeunes, tout en respectant leurs besoins d'exprimer leurs opinions, sans étouffer leurs émotions et sans essayer, parfois inconsciemment, de les écraser. Nos préadolescents sont en pleine phase d'affirmation de soi. Il faut les laisser *être* sans pour autant les laisser tout faire !

1. Prêcher par l'exemple : respecter son enfant, être soi-même poli.
2. Ne jamais endurer l'impolitesse et le manque de respect : c'est tolérance zéro ! Il faut toujours intervenir dans ces cas-là.
3. Inculquer les notions de politesse et les faire respecter au quotidien, sans relâche ni compromis.
4. Toujours faire respecter le lien parents/enfants : nous ne sommes pas leurs amis !
5. Éviter les réactions excessives qui tournent parfois en crise ou en discussion houleuse. Ce n'est guère un bon moyen d'inculquer le respect.
6. Ne pas tolérer l'impolitesse ou le manque de respect entre frères et sœurs.

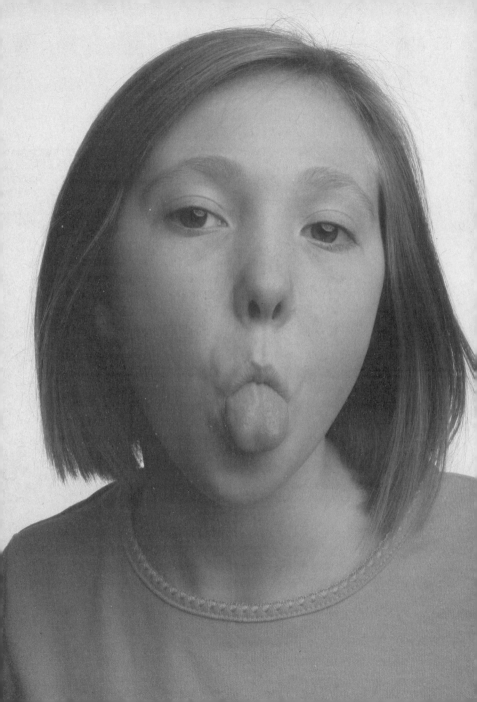

# Le mensonge

*Les questions que tout parent se pose :*

✳ **À quel âge un enfant commence-t-il à mentir?**
✳ **Pourquoi les jeunes mentent-ils?**
✳ **Comment réagir comme parent?**
✳ **Quand doit-on s'inquiéter?**

« Mon fils de 10 ans me ment. » « Ma fille de 11 ans me cache la vérité. » Voilà un constat que bien des parents font devant les mensonges répétés de leurs jeunes concernant les notes, les devoirs, les sorties, les amis et plein d'autres sujets, même anodins. À cet âge, il est plus difficile d'accepter que notre enfant ne nous fait pas confiance et qu'il nous cache la vérité. Surviennent alors de nombreuses questions : « Comment a-t-il pu me mentir aussi effrontément? » « Est-ce inquiétant ou normal? » « Comment réagir et comment intervenir? »

## À quel âge un enfant commence-t-il à mentir?

Tous les parents sont un jour ou l'autre confrontés aux mensonges de leurs enfants, un comportement qui, généralement, les inquiète. Pourtant, tous les enfants racontent des mensonges. Cela fait partie de leur développement normal. En bas âge, on parle plutôt de fabulations (modifications de la réalité), qui sont alimentées par leur imagination en pleine effervescence. En fait, pour qu'il y ait mensonge, il faut d'abord que la personne connaisse la vérité, qu'elle désire la cacher à quelqu'un, puis qu'elle fasse preuve d'imagination pour inventer une fausseté. Cet exercice réfléchi demande une certaine maturité intellectuelle que les enfants possèdent seulement vers 6 ou 7 ans. À cet âge, ils peuvent donc distinguer la réalité de la fiction, et c'est alors que le mensonge proprement dit s'installe. C'est pour eux une façon de lancer un message au parent :

« Toi, tu ne peux pas toujours tout savoir sur moi ! » Le mensonge sera donc beaucoup plus planifié, et il sera accompagné d'un sentiment de culpabilité.

## Pourquoi les jeunes mentent-ils ?

La préadolescence et l'adolescence marquent la fin de la transparence envers les parents. Les jeunes ont alors tendance à maquiller un peu la vérité, à la cacher ou à raconter carrément des « menteries ». Pas évident d'accepter de jouer continuellement au détecteur de mensonges ! Bien que ce soit un comportement normal, il n'est pas facile de comprendre ce qui les pousse à mentir. Voici quelques éléments d'explication.

### Un besoin d'autonomie

Pour conquérir leur autonomie, les préados ont besoin d'échapper graduellement à l'emprise des parents, d'où l'apparition des mensonges ou autres cachotteries qui leur permettent de se créer un espace de liberté. Ils veulent avoir leurs propres secrets, et s'ils doivent mentir pour les préserver, ils le feront ! D'ailleurs, notre réaction, parfois exagérée, devant leurs secrets ou leurs mensonges masque bien souvent notre déception ou notre colère à l'idée de « perdre le contrôle ».

### La peur des conséquences

C'est, on le devine, la raison la plus courante. L'enfant qui invente des histoires à la suite d'un comportement dont il sait que vous le désapprouvez ou d'une bêtise *veut se protéger* de l'image que vous aurez de lui, du jugement ou des conséquences qui s'ensuivront. Il essaiera de s'en sortir avec le minimum de répercussions. Les parents qui inspirent constamment la crainte des punitions ou qui ont fréquemment des réactions excessives encouragent les mensonges d'une certaine façon : pourquoi avouer si le résultat automatique est la punition ou la colère ? Dans ces cas-là, on parle souvent de « mensonge utilitaire ».

### La peur de décevoir

Cette peur, on la remarque souvent chez le jeune qui est exigeant envers lui-même, qui n'a pas droit à l'erreur et qui craint de décevoir ses parents, de perdre leur amour. Certains jeunes ont de la difficulté à se sentir acceptés de leurs parents, alors ils mentiront afin de s'assurer d'être dans leurs bonnes grâces et de mériter leur attention, et de se sentir aimés. Ils ne cherchent donc pas nécessairement à tromper leurs parents, mais veulent simplement leur donner la réponse qu'ils attendent d'eux et qui leur fera plaisir. C'est le cas, par exemple, du garçon qui clame à son père tout fier que ça va bien avec ses amis, ou même qu'il est très populaire dans sa classe, alors qu'il est plutôt rejeté par les autres ; il ne veut pas le décevoir.

### Le besoin d'impressionner

Un enfant peut aussi mentir pour se vanter ; on parle alors d'un « mensonge compensatoire ». C'est plus particulièrement le cas chez les jeunes qui manquent de confiance en soi et d'estime de soi : ils ont l'impression qu'ils doivent en mettre plein la vue pour qu'on s'intéresse à eux. Le mensonge leur permet de s'inventer une vie plus intéressante. En exagérant leurs bons coups, en racontant des histoires peu probables ou en modifiant la réalité, ils se mettent en valeur.

### Un moyen de s'affirmer

À partir de la préadolescence, mentir peut représenter une façon de se rebeller contre ses parents, l'école ou les autres symboles ou figures d'autorité. Les enfants qui n'ont pas de relation étroite avec des adultes peuvent prendre l'habitude de mentir et de voler, et même adopter un comportement antisocial.

### Le besoin d'alléger leur réalité

Ce besoin est plus présent chez les jeunes qui vivent un quotidien lourd et difficile. Ils ont ainsi tendance à mentir dans le but d'alléger leur vécu ; par exemple, un jeune affirmera faire tout plein d'activités et de voyages avec ses parents le week-end, alors que ces derniers sont séparés depuis deux mois. Ces enfants ressentent donc le besoin de modifier leur réalité et de s'inventer un monde qui les rassure un peu. Si notre jeune émet de tels mensonges, il faut rester très attentif, car cela révèle un mal-être chez lui. Il convient d'intervenir et d'ouvrir le dialogue.

Les enfants dont les parents sont séparés ou qui vivent des tensions familiales peuvent parfois mentir pour protéger un parent ou pour préserver l'équilibre familial. Ils utilisent le mensonge pour acheter la paix.

*Le mensonge antisocial*
Certains enfants mentent délibérément dans le but de fuir des responsabilités ou des contraintes, ou simplement pour faire du mal. C'est le cas par exemple de celui qui brise un objet dans la maison et fait porter la faute à son petit frère ; un autre prétend ne pas avoir de devoirs simplement pour éviter de les faire ; un autre encore raconte des rumeurs mensongères sur quelqu'un juste pour semer la bisbille. Il est à noter que ce type de mensonges répétitifs est parfois associé à des comportements délinquants.

## Comment réagir comme parent ?
Le mensonge fait partie de la phase de construction de l'enfant qui, à la préadolescence, ressent de plus en plus le besoin de se distinguer et de s'affirmer. Il ne faut donc pas s'inquiéter outre mesure des quelques épisodes de mensonge de leur part. Il convient toutefois de se servir de ces mensonges comme d'autant de situations d'apprentissage. Voici quelques conseils à cet effet :

* **Éviter les conséquences ou les réactions excessives.** Comme parents, nous devons éviter de tomber dans le piège et de croire que notre jeune utilise le mensonge *contre nous*, que c'est un affront personnel ou une attaque directe. Les raisons qui le poussent à mentir, nous l'avons vu, sont multiples. Une réaction exagérée de notre part ne fait que favoriser le mensonge ou le

besoin de cacher la vérité (par peur ou par besoin de protection). Mieux vaut faire comprendre à notre enfant qu'il est toujours préférable de dire la vérité et qu'il sera possible d'arranger les choses ensemble, calmement.

✳ **Ne pas se montrer indifférent.** Non seulement il faut éviter les réactions excessives, mais il faut aussi s'abstenir de se montrer indifférent aux mensonges de nos enfants ou de les laisser faire. Certains parents préfèrent croire qu'il n'y a pas de situation mensongère (c'est parfois « moins de troubles » ainsi !), mais, ce faisant, ils ne rendent pas service à leurs jeunes. Il est essentiel d'aborder la situation, d'intervenir calmement et de passer à l'action, en imposant une conséquence, selon la gravité du mensonge.

✳ **Éviter de lui arracher des aveux à tout prix.** Il faut éviter de tenter, par tous les moyens, de faire sortir la vérité de la bouche de notre jeune, même lorsqu'on sait pertinemment qu'il ment. « Je veux savoir où tu étais », « Je veux que tu me dises la vérité : est-ce toi qui as cassé le vase ? » Avouer une faute n'est pas facile, même pour nous, adultes. Alors, imaginez pour un jeune qui est en construction, en quête d'indépendance ! Vouloir « le faire craquer », lui faire avouer, honteusement, son mensonge n'est certainement pas une expérience qui nous aidera à préserver une bonne relation parent-enfant ! De tels interrogatoires soutenus masquent en réalité notre désir de contrôler notre jeune préadolescent (voire notre volonté de l'écraser), alors qu'il est justement dans une phase de sa vie où il ressent un besoin croissant de liberté et d'affirmation de soi. Dites-lui simplement que vous savez qu'il ment et faites-lui réparer son geste, ou présentez-lui la conséquence qui en découle, avec calme et sans l'humilier.

✳ **Féliciter son enfant pour un mensonge avoué.** Si votre jeune reconnaît son mensonge, félicitez-le, c'est un acte qui demande du courage. Faute avouée est à moitié pardonnée, n'est-ce pas ? Puis complétez votre intervention calmement.

✳ **Ne pas utiliser le chantage émotif.** Essayez de réagir avec une touche de sérénité, sans réactions excessives et, surtout, évitez le *chantage émotif* en laissant croire à votre enfant qu'il a perdu votre confiance. Avouons-le : à cet âge, les mensonges de nos jeunes nous affectent plus que lorsqu'ils avaient 5 ou 6 ans ! Peinés d'avoir soudainement perdu notre belle complicité avec eux et furieux d'avoir été trompés, nous avons tendance à mettre l'accent sur la perte de confiance : « Je suis extrêmement déçu de toi », « Je ne pourrai plus te faire confiance », « Je ne pensais pas que tu pouvais me mentir ». De telles affirmations risquent d'envenimer inutilement notre relation parent-enfant.

✳ **Éviter de le traiter de menteur.** « Tu mens et tu le sais ! », « Tu es un menteur ! » Ces phrases, lourdes de conséquences, n'aideront certainement pas notre jeune à bâtir son estime de soi. Dans son esprit, de tels propos renforcent le qualificatif de menteur, ce qui ne peut qu'aggraver la situation. Mieux vaut essayer de comprendre ce qui pousse notre jeune à vouloir cacher la vérité que de le juger. Dites-lui simplement ce que vous avez observé ou quel est le comportement reproché, afin qu'il saisisse votre message.

✳ **Ne jamais humilier son jeune, particulièrement devant d'autres personnes.** La réaction de l'entourage a un impact important sur la perception qu'il a de lui-même. S'il ment, n'en parlez pas ouvertement aux autres (par exemple au téléphone à grand-maman, à la belle-sœur, aux amis ou à la voisine). Le jeune se sentira humilié et davantage coincé avec une étiquette de menteur.

✳ **S'abstenir de faire la morale.** Soyez prudent et évitez de tomber dans la morale chaque fois que vous discutez avec votre enfant, sinon il risque de mentir pour obtenir la paix. Si vous savez ce qu'il a fait, mentionnez simplement les faits, plutôt que de le soumettre à un interrogatoire en règle et de le sermonner.

✳ **Le féliciter quand il dit la vérité (renforcement positif).** Si votre jeune vous dit régulièrement la vérité, qu'il ose vous parler de certaines situations ambiguës, félicitez-le. C'est un signe qu'il a confiance en vous et que la relation parent-enfant est bonne. Il faut la préserver. S'il perçoit que votre satisfaction d'apprendre la vérité est plus forte que votre réaction négative devant le geste fait, alors il aura naturellement tendance à dire la vérité. Il va comprendre que la franchise est la meilleure solution. En retenant plutôt le côté positif d'un aveu, nous solidifions la relation de confiance avec notre enfant.

Bref, devant les mensonges de notre jeune, il faut éviter de le menacer de conséquences exagérées ou de manifester des réactions excessives. Nous devons plutôt tenter d'établir les faits, calmement, d'intervenir posément et d'agir, avec une conséquence adaptée à la gravité du mensonge, si cela est nécessaire.

Reste que la meilleure façon de diminuer les mensonges, c'est d'améliorer la relation de confiance parent-enfant. À l'âge de la puberté et de l'adolescence, les mensonges et les cachotteries traduisent un besoin d'émancipation et le souci des jeunes de préserver leur petit monde bien à eux, qu'ils commencent à peine à construire. Plus le jeune est capable de communiquer avec ses parents, plus il sera enclin à partager ce petit monde, à s'ouvrir, à se confier et, par conséquent, moins il ressentira le besoin de leur mentir ou de leur cacher des choses. Lorsque les parents arborent une attitude très punitive ou contrôlante, les jeunes ont tendance à mentir pour conserver une certaine liberté.

Au-delà du mensonge proprement dit, il est primordial de chercher les motifs de ce comportement. Comme nous l'avons vu précédemment, plusieurs raisons peuvent pousser notre enfant à mentir. En cherchant à comprendre ce qui se cache derrière un mensonge, qui est souvent le reflet d'un besoin ou d'une crainte, nous pouvons aider davantage notre préadolescent.

## Le cas de Julie, 11 ans

Les parents de Julie viennent en consultation avec leur fille parce qu'elle vit du rejet à l'école. Elle n'a pas d'amies et se retrouve toujours seule dans la cour de récréation, une situation qui inquiète évidemment ses parents.

Pour bien cerner le problème, nous demandons à Julie si elle sait pourquoi elle est en consultation. Sa réponse : « Non ! » Nous lui demandons ensuite comment ça va avec ses amis, et elle répond spontanément que tout va super bien, qu'elle a plein d'amis et qu'elle doit même faire des choix car elle ne peut les voir tous !

Voilà un bel exemple de mensonge qui a pour but d'alléger sa réalité, son quotidien. De cette façon, Julie nous exprime à quel point elle aimerait être populaire et avoir des amis. Elle refuse de parler de son problème parce qu'elle ne veut pas l'accepter. Elle s'invente un monde où tout va bien afin de réussir à vivre cette pénible situation. La consultation permettra de lui donner des trucs, des outils, des conseils afin qu'elle puisse augmenter sa confiance en elle-même et son estime de soi, ce qui lui permettra d'améliorer ses habiletés sociales.

Il est également judicieux de se demander si les mensonges se produisent toujours dans le même contexte. Par exemple, notre enfant ment-il seulement quand il est question de ses notes ? Si c'est le cas, son comportement est possiblement lié à votre attitude envers son rendement à l'école. Il a peut-être une sœur ou un frère plus doué que lui (et dont vous soulignez inconsciemment les réussites ou les citez en exemple). Peut-être sent-il trop de pression ? (À ce sujet, voir aussi « Le stress et l'anxiété de performance chez nos jeunes », à la page 95.)

## Quand doit-on s'inquiéter ?

Certains enfants mentent délibérément, sans raison ou motif précis, peut-être par manie. Si le mensonge fait partie du quotidien de votre enfant, cherchez à comprendre ce que cache cette mauvaise habitude. Bien sûr, votre jeune tente de vous envoyer un message, mais lequel ? Pour l'exprimer, il a besoin de votre aide et peut-être de celle d'un professionnel. Prenez cette situation en main le plus rapidement possible avant que cela n'entraîne des conséquences lourdes pour votre enfant et pour vous.

### Il ment comme il respire : la mythomanie

Bien que plusieurs raisons puissent pousser un jeune à mentir, il est possible que ce comportement fasse désormais partie intégrante de sa vie. Quand un jeune ment du matin au soir et, surtout, *quand il croit à ses mensonges*, nous parlons alors d'un problème pathologique pouvant se rapprocher de la mythomanie.

La mythomanie se définit simplement par le fait de mentir *sans même en avoir conscience*. Elle se présente principalement sous deux formes : l'exagération et l'invention. Il s'agit de mensonges répétés qui surgissent sans même que le jeune ait l'intention de mentir. Le mythomane tente donc constamment d'« arranger » la réalité.

La mythomanie est le symptôme d'un problème ou d'un mal-être important, et une consultation auprès d'un professionnel est fortement recommandée.

*Les psy-trucs*

1. Prendre conscience du fait que les jeunes préados sont dans leur phase de liberté et d'autonomie, d'où leur tendance à modifier la vérité, à la cacher ou même à mentir pour préserver leur petit monde en construction.

2. Se rappeler que les jeunes mentent parfois pour se protéger, pour fuir une réalité difficile ou pour se donner de l'importance, et non pas pour nous défier volontairement ni pour nous contrarier.

3. Garder à l'esprit que les jeunes qui ont une faible estime de soi ou qui sont réprimandés à outrance risquent plus que les autres d'utiliser le mensonge comme mécanisme de défense.

4. Ne pas traiter son jeune de menteur, pour ne pas risquer de l'étiqueter et de nuire ainsi à son estime de soi.

5. Éviter les réactions excessives face au mensonge. Établir les faits et intervenir calmement en imposant une conséquence (selon la gravité du mensonge), au besoin.

6. Consulter un psychologue si le mensonge fait partie du quotidien du jeune.

# Le stress et l'anxiété de performance chez nos jeunes

*Les questions que tout parent se pose :*

* ✳ Pourquoi mon enfant est-il stressé ?
* ✳ Qu'est-ce que l'anxiété de performance ?
* ✳ Quels sont les symptômes du stress et de l'anxiété de performance ?
* ✳ Comment aider mon jeune à vivre moins d'anxiété ?
* ✳ Pourquoi les temps libres sont-ils nécessaires ?

Guillaume, qui est âgé de 10 ans, est très stressé à l'idée de passer son examen de mathématique. Il n'en a pas dormi de la nuit et s'est réveillé avec des maux de ventre et des nausées. Julie, qui a le même âge, a passé des heures et des heures à étudier ses chapitres d'histoire, et malgré cela, elle ne se sent pas prête pour son examen ; elle a l'impression qu'elle ne peut qu'échouer. À 12 ans, Sébastien est démoralisé de n'avoir obtenu que la deuxième place à la compétition annuelle de natation ; il se trouve nul et craint d'annoncer sa « défaite » à son père à son retour du travail. Ces jeunes ont un point en commun : ils sont persuadés que leur valeur en tant qu'individus dépend de leur niveau de performance. Ce malaise, de plus en plus fréquent chez nos jeunes, s'appelle l'« anxiété de performance ».

### Pourquoi mon enfant est-il stressé ?

Le mot « stress » est issu du latin *stringere*, qui veut dire « serrer » et qui nous renvoie à la notion de tension ou de pression.

*Stress : Réaction physiologique et psychologique d'une personne vis-à-vis des situations ou des contraintes qui lui sont imposées.*

Il est important de mentionner que le stress n'est pas nocif en soi. Il peut même être dynamisant et nous aider à relever des défis. On parle de « bon stress » quand celui-ci stimule et active nos sens afin de nous aider à faire face à certaines situations ou à nous surpasser. C'est ce stress qui nous permet d'atteindre *nos objectifs*, d'avancer, d'évoluer, de progresser. C'est aussi lui qui nous aide à nous adapter aux changements ou aux exigences que nous ne pouvons éviter.

Toutefois, le stress devient négatif à partir du moment où il se transforme en détresse. Le « mauvais stress », c'est celui qui nous oblige à utiliser toutes nos énergies ou nos réserves pour affronter des problèmes ou des situations simples vécues *au quotidien*, des situations qui ne sortent pas de l'ordinaire, mais sont routinières et récurrentes dans la vie de tous les jours.

Même s'il semble exister des prédispositions génétiques au stress, tous les enfants en sont victimes un jour ou l'autre. En tant qu'adultes, nous avons parfois tendance à surévaluer la capacité d'adaptation de nos jeunes et à minimiser ou à banaliser certaines situations ou certains événements pouvant provoquer chez eux un état de tension.

Le stress peut être divisé en deux grandes catégories, selon ses causes :

1. **Stress réactionnel.** Il s'agit d'un stress généralement *temporaire*, *en réaction* à un événement soudain, par exemple un déménagement, un changement d'école, la naissance d'un petit frère ou d'une petite sœur, l'hospitalisation ou le décès d'un proche, la séparation ou le divorce des parents, le début d'une nouvelle vie en famille recomposée et/ou l'arrivée d'un nouveau conjoint.

2. **Stress chronique.** Il s'agit d'un stress provoqué par un événement perturbateur et *répétitif* ou par une pression *prolongée* sur le jeune, par exemple des querelles persistantes à la maison, des mauvais traitements, la pression scolaire ou un horaire

surchargé. Cette forme de stress peut entraîner des troubles plus sérieux chez l'enfant (anxiété, angoisse) si elle est vécue intensément et si elle persiste. L'anxiété de performance entre dans cette catégorie.

Les jeunes peuvent vivre beaucoup de stress lié à leurs activités scolaires ou en raison des exigences de leurs parents. Voici quelques exemples :

### Horaire surchargé/surmenage

Nous imposons parfois un rythme de vie effréné et un horaire surchargé à nos enfants, ce qui nous oblige à les talonner, à les pousser sans cesse et à les ramener à l'ordre constamment : « Active-toi, tu vas manquer ton autobus », « Dépêche-toi de manger, tu vas être en retard ». Le stress du matin, les transports, l'école, les activités parascolaires, le souper, les devoirs, les leçons. Ils n'ont pas beaucoup de répit! Nous avons également tendance à surcharger nos jeunes d'activités les soirs ou les fins de semaine : sports d'équipe, leçons de musique, cours de natation...

Les enfants ont besoin d'avoir des temps libres pour se détendre après l'école et n'ont certainement pas besoin de fins de semaine aussi chargées que leurs semaines d'école! Si votre jeune commence à se plaindre en vous disant qu'il est fatigué ou qu'il a trop d'activités, il est préférable d'en discuter avec lui et de vérifier s'il n'y a pas lieu de ralentir quelque peu le rythme.

### Discipline trop rigide, ou trop de responsabilités

« Fais pas ci, fais pas ça », « N'oublie pas de faire ceci et de faire cela », « Tu devrais plutôt m'aider au lieu de jouer ou d'écouter la télé! », « Prends soin de ta sœur pendant que je fais mes courses ». Bien qu'il soit important de responsabiliser nos jeunes, il ne faut pas que les tâches qu'on leur confie deviennent trop lourdes sur leurs épaules, ni que les seules interactions que nous ayons avec eux soient limitées à la discipline ou à la répétition des consignes, car cela ajoute à la pression quotidienne et accentue le stress négatif.

### Attentes élevées

Nous désirons tous ce qu'il y a de mieux pour nos enfants. Pour leur bien, nous avons parfois tendance à exiger le meilleur d'eux et à nourrir des attentes très élevées. Les parents ayant bien réussi sur le plan professionnel ont, en général, de grandes attentes envers leurs enfants, même si ces derniers n'ont pas la même motivation ou les mêmes buts dans la vie. Ils sont portés à pousser leurs enfants à exceller, voire à se surpasser en tout, et sont tentés de les inscrire à plein d'activités au nom de leur développement personnel. Ces situations peuvent devenir une source de stress et de frustration chez les jeunes, surtout s'ils ne partagent pas les mêmes intérêts ou les mêmes aspirations que leurs parents.

### Vie scolaire

L'école occupe une grande place dans la vie de nos enfants et comporte son lot de situations auxquelles ils doivent s'adapter de jour en jour : les activités de toutes sortes, les comparaisons avec les autres, les amis, le rejet, les changements d'enseignants, etc. Certains de ces éléments peuvent provoquer du stress ou de l'anxiété.

### Réussite scolaire

Voici une source importante et fréquente de stress et d'anxiété chez les jeunes, qui semble présente de plus en plus tôt dans la vie scolaire... même au primaire ! Nous avons à cœur la réussite scolaire de nos jeunes et avons parfois tendance à élever un peu trop nos attentes et à exiger qu'ils soient toujours très performants, d'où l'apparition du stress de la performance scolaire. Cette anxiété de performance n'est pas anodine. Voyons plus en détail quelles sont ses causes et ses conséquences.

## Qu'est-ce que l'anxiété de performance ?

L'anxiété de performance, c'est la peur de l'échec. Elle se caractérise principalement par une forte crainte des évaluations ou de toute autre situation où le jeune peut se sentir mis à l'épreuve, voire jugé. Elle est symptomatique de notre société, dans laquelle la performance et la réussite individuelles sont extrêmement valorisées.

### Qui peut en être atteint ?

L'anxiété de performance prend généralement racine dès la petite enfance et durant les années scolaires. C'est un problème que le jeune peut développer seul ou « avec l'aide » de ses parents (trop exigeants), même si c'est de façon indirecte.

Par exemple, un jeune qui a toujours reçu les éloges de ses parents ou de sa famille et qui a toujours été perçu comme le « meilleur » à leurs yeux aura naturellement tendance à vouloir préserver cette image et se mettra une pression supplémentaire. Il aura d'ailleurs beaucoup plus de difficulté que les autres enfants à accepter une situation de non-performance ou d'échec.

D'autres jeunes ressentent de l'anxiété car ils subissent une forte pression de la part de leurs parents, dont les exigences et les attentes sont trop élevées. Ces derniers en demandent toujours plus et se montrent facilement insatisfaits de la performance de leurs enfants, contribuant ainsi à leur mal-être.

Enfin, les jeunes qui éprouvent des difficultés scolaires, malgré les efforts qu'ils fournissent, *craignent* souvent les réactions de leurs parents, les résultats négatifs ou même le redoublement, et en viennent à se sentir anxieux. Plusieurs développent un sentiment d'incompétence et se sentent incapables de réussir.

Le stress de la performance peut donc être vécu par :

* les jeunes performants qui tolèrent peu l'échec ;
* les jeunes qui sont stressés à l'idée de ne pas performer à la hauteur des attentes ;

✳ les jeunes qui éprouvent des difficultés scolaires et craignent les conséquences.

**Un cercle vicieux**
Le stress de performance engendre souvent un cercle vicieux.

> *Plus l'enfant est stressé, moins il réussit ;*
> *moins l'enfant réussit, plus il est stressé.*

Un enfant stressé ou anxieux devant un examen a du mal à se concentrer, et dépense beaucoup d'énergie à contrôler son stress et sa concentration, énergie qu'il n'emploie donc malheureusement pas pour l'examen lui-même. Plusieurs enfants anxieux de leur performance sont portés à travailler ou à étudier deux fois plus fort que les autres afin d'augmenter leurs chances de réussite. Ils acceptent difficilement de ne pas tout savoir sur un sujet qui fera l'objet d'un examen et doubleront d'ardeur pour mémoriser chaque détail, s'imposant ainsi une pression indue. Ils ont donc tendance à être perfectionnistes. D'autres manifestent leur anxiété en évitant tout projet ou toute activité où leur réussite est incertaine.

Un enfant aux prises avec l'anxiété de performance recherche constamment à prouver sa valeur. Il ne croit pas pouvoir être aimé simplement pour ce qu'il est, mais plutôt pour les résultats, les réussites et les réalisations qu'il présentera. Et ce sera toujours à recommencer... En fait, ces enfants ne se sentent jamais à la hauteur des attentes qu'ils s'imposent eux-mêmes ou qu'on leur impose :

✳ « Il faut que je gagne, sinon mon père ne m'aimera pas. »
✳ « Si je ne réussis pas, ça veut dire que je suis nul. »
✳ « Même si je réussis, ce n'est jamais assez. »

Nous avons malheureusement tendance à surévaluer la capacité d'adaptation de nos jeunes. Entre la nouvelle famille recomposée, le déménagement, la nouvelle école, le sport d'élite et le train de vie effréné que nous leur imposons (souvent malgré nous), nos jeunes sont soumis à une pression de plus en plus grande et nous voulons (ou exigeons) qu'ils continuent à performer à l'école. L'anxiété de performance est sournoise : elle provient d'une bonne intention à la base (bien réussir), mais prend malheureusement des *proportions exagérées*.

Lorsqu'on parle de performance, on ne devrait pas nécessairement faire référence à l'excellence. Il faut toujours demeurer prudent pour éviter de confondre apprentissage, effort et performance scolaire avec réussite ou excellence. Notre mandat comme parents, c'est de favoriser et de récompenser l'*effort* de nos jeunes, et de soutenir leur motivation.

## Un constat déplorable

Dans le cadre de mon expérience clinique, j'ai constaté qu'il y avait une augmentation des cas d'anxiété de performance chez les enfants. Plus inquiétant encore est l'âge où ce trouble est maintenant diagnostiqué : alors qu'il était plus fréquent chez les adolescents, ce problème est de plus en plus observé chez des enfants de 8-9 ans ! Pire encore, bien des parents ne s'en rendent pas compte ou ne sont malheureusement pas à l'écoute des signes de fatigue chez leurs enfants. Certains jeunes sont tellement affectés par cette anxiété de performance qu'ils ne veulent plus aller à l'école. Ce n'est évidemment pas une question de caprice ni de manipulation, mais plutôt une façon pour eux d'envoyer un message de détresse.

Ne perdons pas de vue que l'école est un lieu naturellement anxiogène. C'est une « mini-société » dans laquelle nos enfants passent beaucoup d'heures par semaine. Ils sont continuellement en apprentissage – sur le plan cognitif, bien sûr, mais aussi sur le plan social – et vivent de multiples changements. Voilà pourquoi ce milieu peut devenir un élément stressant pour bien des enfants. Comme le niveau de stress peut se manifester de diverses façons, nous devons être attentifs.

## Quels sont les symptômes du stress et de l'anxiété de performance?

Certaines situations difficiles et particulièrement stressantes peuvent provoquer divers symptômes : troubles du sommeil, maux de ventre, maux de tête, nausées... «Je ne veux pas aller à l'école, j'ai trop mal au ventre!» : voilà une phrase connue de bien des parents dont l'enfant est stressé ou anxieux vis-à-vis de l'école!

Chaque personne réagit différemment au stress. Ce qui peut être un agent stresseur pour un enfant ne l'est pas nécessairement pour un autre. Comment déceler ce qui peut être réellement source de stress chez notre enfant? Ce n'est pas facile de faire une bonne évaluation, mais une chose est sûre : chacun a *sa* façon d'extérioriser ses problèmes de tension, selon la situation et sa personnalité. Un enfant facilement inquiet, timide ou introverti aura tendance à devenir anxieux, alors qu'un enfant plus actif ou extraverti sera plutôt porté à devenir agressif.

Les symptômes de stress apparaissent lorsque le niveau d'adaptation de l'enfant est dépassé, et c'est à nous, parents, de détecter ces signes, qui peuvent être tant physiques que psychologiques.

Les réactions à un stress *soudain* ou à une anxiété *soudaine* sont les suivantes :

* maux de ventre ;
* maux de tête ;
* nausées ;
* rougissement ;
* mains moites ou extrémités froides ;
* tremblements ;

* transpiration;
* étourdissements;
* tension musculaire;
* «boule» dans la gorge.

Les réactions à un stress *persistant* ou à une anxiété *persistante*, qu'on pourra également observer dans les cas d'*anxiété de performance*, sont les suivantes:

* fréquents maux de ventre/maux de tête/nausées;
* apathie (inaction, manque d'énergie);
* tics nerveux;
* introversion (enfant plus renfermé);
* tristesse, silence inhabituels;
* troubles du sommeil ou difficulté à se détendre;
* démotivation;
* agressivité;
* régression sur le plan de la maturité;
* comportements nerveux: se ronger les ongles, jouer avec ses cheveux, se gratter, soupirer régulièrement...

Le problème d'endormissement est un des signes les plus fréquents, qui met rapidement la puce à l'oreille des intervenants professionnels. Le jeune aux prises avec l'anxiété de performance a très souvent du mal à s'endormir ou se réveille régulièrement la nuit, ce qui provoque chez lui beaucoup de fatigue. Il devient donc très irritable, développe des tics nerveux, refuse de se lever le matin, est hypersensible, essaie par tous les moyens de ne pas se présenter à l'école et se plaint régulièrement de maux physiques. Ces symptômes peuvent nuire à son bien-être sur les plans physique, affectif, social et intellectuel si nous n'intervenons pas. Si certains jeunes finissent par s'adapter, d'autres risquent, à la longue, de développer des problèmes plus sérieux: dépression, échec scolaire, agressivité chronique, maladies, angoisse et anxiété chroniques, notamment.

Nous devons donc rassurer notre enfant lorsque nous constatons chez lui un stress accru et prendre du recul pour résoudre ce mal-être. Nous devons ajuster nos attentes et nos exigences, lui faire comprendre qu'il n'est pas tenu d'être toujours et partout le meilleur et le plus performant. Ce qui importe, c'est qu'il soit lui-même!

## Le trouble d'anxiété

Dans certaines situations stressantes, il est normal de voir son enfant s'inquiéter, être nerveux ou craintif. Cela devient toutefois problématique lorsque ce stress est envahissant, qu'il est vécu régulièrement, voire quotidiennement, vis-à-vis des situations qu'il devrait pourtant avoir déjà eu l'occasion de maîtriser dans le passé. C'est souvent le cas face à la performance : l'enfant n'est plus simplement stressé, il est anxieux. Lorsque cette anxiété est suffisamment importante pour provoquer un repli sur soi, pour nuire aux activités quotidiennes de l'enfant, pour susciter chez lui un extrême besoin d'éviter la situation stressante (l'école, par exemple), alors on peut parler de trouble d'anxiété.

Bien que certains jeunes aient des prédispositions génétiques à l'anxiété, cette dernière est souvent occasionnée par l'environnement. Par exemple, il peut arriver que des enfants ayant vécu trop de stress (ou sur une longue période) deviennent anxieux. D'autres auront développé certains de ces comportements en présence de parents ou de proches très anxieux qui les insécurisent.

Le trouble d'anxiété est donc un état psychologique provoquant dans l'organisme une augmentation du taux d'adrénaline, qui met l'enfant dans un état non contrôlé. Les crises d'anxiété se manifestent par :

* une profonde inquiétude (face à des dangers ou à des menaces réelles ou imaginaires);
* une accélération de la respiration;
* une sudation accrue (transpiration);

\* des nausées ;
\* des maux de ventre.

Les enfants anxieux ont tendance à craindre que quelque chose de grave ne leur arrive, à se créer des scénarios catastrophiques, à empirer les situations et à en dramatiser les conséquences.

Comme les enfants ont l'avantage d'exprimer assez rapidement leur état de stress, nous pouvons facilement détecter le problème et le corriger en identifiant les causes et en réduisant les exigences ou le rythme de vie imposés à l'enfant.

La situation est toutefois plus compliquée quand *les parents ne sont pas à l'écoute des signes de détresse, qu'ils laissent perdurer la situation ou qu'ils sont eux-mêmes la source du problème.* Leurs enfants ont alors tendance à ne plus manifester ce qu'ils vivent, à ne plus s'exprimer, à se replier sur eux-mêmes et à développer un trouble d'anxiété chronique pouvant miner leur vie. Dans un tel cas, une consultation serait fortement souhaitable afin d'éviter que le problème ne se transforme, à l'adolescence et à l'âge adulte, en malaises plus profonds et plus graves. Il est à noter que le traitement de cette forme d'anxiété donne généralement d'excellents résultats.

### Comment aider mon jeune à vivre moins d'anxiété ?

Les signes de stress chez notre enfant sont généralement assez évidents, dans la mesure où nous sommes le moindrement attentifs à ses changements de comportements. Nous avons tout intérêt, pour son bien, à l'accompagner, à l'aider à surmonter ou à réduire les sources d'anxiété et à lui offrir des moyens d'y faire face le plus sereinement et sainement possible.

Les acteurs les plus importants dans la gestion du stress d'un enfant, ce sont évidemment les parents. Il est de notre devoir de détecter les signes indiquant qu'on en demande trop à notre jeune. Encourager un enfant à se dépasser, c'est bien, mais il ne faut jamais qu'il ait l'impression qu'on l'aime uniquement lorsqu'il performe. On doit faire la différence entre *encourager* et *pousser*: le verbe « pousser » sous-entend que c'est « contre sa volonté ». Il faut se questionner sur les raisons qui motivent ce refus de l'enfant et l'encourager sans trop lui mettre de pression.

*Donc, nous devons, comme parents, nous interroger sur les attentes que nous avons établies concernant notre enfant et sur nos méthodes d'intervention.*

Voici quelques conseils à cet effet:

✳ **Ne pas jouer à l'enseignant.** Après leur journée de travail, bien des parents (remplis de bonnes intentions) se retroussent les manches et s'attaquent, le plus sérieusement du monde, à leur second mandat: jouer au prof! Voilà une erreur très commune. Le rôle du parent dans la période des devoirs consiste *à guider et à soutenir le jeune*, et non à enseigner.

✳ **Appuyer et encourager.** Une des meilleures façons de contribuer au cheminement scolaire de notre jeune, c'est d'adopter une attitude positive et de l'encourager dans sa démarche. Soyez un bon « coach » pour votre enfant et encouragez ses efforts. Surtout, évitez de le dénigrer lorsqu'il éprouve des difficultés : « Comment ça se fait que tu ne comprends pas ça ? » Félicitez-le chaque fois qu'il a réussi à *faire des efforts* pour bien travailler, il n'en sera que plus fier!

✳ **Avoir des exigences réalistes.** Posons-nous la question : en demandons-nous trop à nos enfants ? Sommes-nous, en tant que parents, une source de stress pour nos jeunes en leur demandant constamment d'être performants (à l'école, dans les sports, dans leur cours de musique...) ou en ayant des attentes très (ou trop) élevées ?

Nos jeunes ont besoin de notre soutien et de notre affection pour prendre plaisir à réussir. Une bonne façon de contrer le stress de performance est d'accorder autant d'importance aux *efforts* qu'aux résultats. Nos enfants ont besoin de recevoir nos encouragements, c'est la base de leur succès.

Quand on s'aperçoit que notre jeune ne fonctionne plus et qu'on reconnaît les signes de stress, il faut prendre le temps de l'écouter. Il doit sentir qu'il peut se confier sans avoir l'impression qu'on le juge. Attention de ne pas banaliser ce qu'il ressent ou vit, sinon il risque de ne plus vouloir nous en parler! Si notre enfant verbalise qu'il nous trouve exigeants ou qu'il sent trop de pression, c'est à nous d'accepter ce commentaire et d'éviter de retomber dans les phrases justificatives telles que : « C'est pour ton bien » ou « Il faut toujours que je te pousse ». Posons-nous aussi ces questions :

* Pourquoi sommes-nous si exigeants ?
* Nos attentes sont-elles parfois démesurées ?
* Comment encourager notre enfant sans le stresser ?

Être plus compréhensifs et patients envers nos enfants, leur donner du soutien, les encourager à continuer, et ce, en mettant l'accent sur l'*effort* plutôt que sur le résultat (parce qu'un jeune en difficulté qui réussit à 70 % a autant de mérite que celui qui a 90 % facilement), voilà la clé !

## Pourquoi les temps libres sont-ils nécessaires ?

Nous avons tous des souvenirs de notre enfance remplis de balades improvisées, d'après-midi à vaquer à tout et à rien, de week-ends aux horaires flous... des périodes libres qui nous permettaient de laisser aller notre créativité. Ce genre de souvenirs se fait malheureusement plus rare aujourd'hui, la tendance étant d'avoir une vie hyper structurée.

Or, les horaires surchargés que nous imposons souvent à nos jeunes font partie des éléments déclencheurs de l'anxiété de performance. Dans notre société hyper stimulée, les moments libres sont souvent perçus comme un manque de planification de notre part ou comme une perte de temps. Et au nom du développement personnel de nos jeunes, nous les inscrivons à plein d'activités et y associons des attentes élevées.

Il n'y a rien de mal à encourager notre enfant à faire des activités parascolaires, à lui permettre d'apprendre à jouer d'un instrument de musique ou à l'inscrire à un sport d'élite. Ces activités (qu'il a peut-être lui-même demandées) sont très saines et l'amèneront à développer ses talents et ses habiletés. Il y a toutefois problème lorsqu'elles ne laissent aucune place aux temps libres, nuisent à la vie de famille ou génèrent chez notre jeune de la fatigue, voire un fardeau de plus en plus lourd à porter.

*L'hyperéducation!*

## Un phénomène en pleine recrudescence!

Bien des parents, concernés par le succès de leurs enfants, surchargent leurs horaires afin d'optimiser le *temps* qui semble tant manquer. Nous décidons de ce qui représente un loisir «valable» pour nos jeunes et nous les poussons très rapidement sur le chemin de la performance. Nous les percevons comme des «éponges» ou des «coquilles vides» qu'il faut remplir (pour ne pas dire «bourrer»!) à tout prix et le plus tôt possible. Il n'est donc pas étonnant de constater tant de cas d'épuisement ou d'anxiété de performance chez nos jeunes!

Cette tendance à vouloir tout faire et tout avoir, pour le bien de nos jeunes, peut devenir malsaine; elle dévoile un désir, inconscient, de responsabiliser nos enfants à un trop jeune âge et de leur imposer notre propre rythme de vie. Nous avons tendance à les traiter comme des adultes, comme si prendre le temps de vivre était une perte de temps, comme s'ils n'avaient pas le temps de vivre leur enfance à fond.

**Les temps libres : une nécessité**

Les journées à ne rien faire, les week-ends sans horaire planifié et même les après-midi à s'ennuyer peuvent être bénéfiques et permettre aux enfants de développer un élément essentiel dans la vie : la créativité. Les temps morts les « obligent » à réfléchir, à faire preuve d'imagination, à trouver des solutions à leur ennui. Qui plus est, le manque de créativité peut amener le jeune à vivre du stress ou de l'anxiété puisque, devant un problème (scolaire ou autre), il lui sera difficile de trouver des solutions. Certains parents sous-estiment cet apprentissage et misent à outrance sur la performance concrète qui apporte médailles ou résultats.

Devant des problèmes de stress, de fatigue ou d'anxiété, nous avons tout intérêt à revoir l'horaire quotidien de la famille. Réservons plus de temps à chaque activité (pour éviter d'être toujours pressés) et ayons un horaire moins serré, qui laisse place à l'improvisation ou aux temps libres. La même chose s'applique évidemment aux week-ends, qui sont malheureusement trop souvent planifiés « mur à mur ». Il est important de garder du temps pour des activités improvisées ou pour vaquer à nos petites occupations, même s'il s'agit simplement de regarder la télévision, bien paisiblement !

Il faut surtout se libérer du cadre rigide de la performance et redonner le droit à nos jeunes d'être ce qu'ils sont : des êtres qui ne demandent qu'à grandir, à se développer et... à s'amuser !

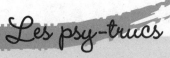

1. Ne pas être trop exigeant envers notre enfant ni entretenir des attentes trop élevées, qui peuvent devenir pour lui une source importante de stress.

2. Réagir rapidement et ajuster nos exigences lorsqu'on reconnaît certains symptômes d'anxiété de performance chez notre enfant.

3. S'abstenir de lui en demander toujours plus. Souligner ses efforts, et non seulement les résultats qu'il a obtenus.

4. Éviter les horaires quotidiens trop chargés ou trop serrés.

5. Ne pas surcharger les week-ends ni les planifier « mur à mur ». Faire place aux temps libres !

6. Consulter un professionnel si notre enfant présente des symptômes d'anxiété évidents : maux de ventre et maux de tête fréquents, tics nerveux, problèmes de sommeil, agressivité.

# L'hypersexualisation

*Les questions que tout parent se pose :*

* Qu'est-ce que l'hypersexualisation?
* Quelles sont les conséquences de l'hypersexualisation chez nos jeunes?
* Comment minimiser la tendance à l'hypersexualisation?

Votre fille de 11 ans insiste pour s'habiller comme ses amies et réclame des camisoles ultracourtes (communément appelées « camisoles-bedaine »), des jeans taille basse, des minijupes, des t-shirts moulants et même des sous-vêtements tendance et sexy (les fameux « strings »)? Depuis quelque temps, elle accorde une très grande importance à sa chevelure et à son maquillage avant de se rendre à l'école? Votre fille, comme beaucoup de ses camarades, veut ressembler à ses idoles pop, les icônes de cette nouvelle tendance qu'est l'hypersexualisation.

### Qu'est-ce que l'hypersexualisation?

Il s'agit d'un phénomène de plus en plus répandu, selon lequel les adolescents et les préadolescents adoptent des attitudes et des comportements sexuels précoces et mal adaptés à leur âge. En d'autres mots, c'est la « sexualisation » prématurée de nos jeunes. Sexualiser, c'est donner un caractère sexuel à quelque chose qui ne l'est pas à la base. La sexologue québécoise Jocelyne Robert, qui a écrit de nombreux livres sur la sexualité, dont plusieurs concernent les jeunes, affirme qu'il s'agit d'une « représentation de l'enfant comme une sorte d'adulte sexuel miniature ».

*Un produit de notre société médiatisée*

Ce phénomène, qui émerge surtout dans les sociétés occidentales, se manifeste sur deux fronts : celui de la mode vestimentaire et celui des mœurs sexuelles. L'habillement suggestif des filles, même très jeunes, les jeux de séduction précoces, la consommation prématurée de la cyberpornographie et le clavardage de nature sexuelle en font partie.

L'hypersexualisation découle des valeurs véhiculées dans notre société, particulièrement par les médias : publicité, magazines, musique, vidéoclips, Internet, photographies de vedettes pop... Bref, c'est tout l'espace public qui est touché. Nos jeunes sont ainsi constamment bombardés de messages et d'images stéréotypés à caractère érotique (voire sexuel).

*Le* girl power *: pouvoir ou soumission ?*

Les médias transmettent aux filles le message suivant : l'apparence, les « charmes corporels » et la séduction sont essentiels à leur image, car ils leur permettent d'être reconnues, valorisées et, surtout, d'acquérir du pouvoir. On parle souvent du *girl power* !

La préadolescence est marquée par le besoin d'avoir des amis, d'être accepté par ses pairs et, en ce sens, la mode a toujours été une façon d'atteindre ce but. À cet âge, nos jeunes filles sont en quête de leur identité propre et sont influencées par leur environnement. Elles deviennent ainsi des proies faciles pour le monde de la mode et pour les médias, qui transmettent une image très sexualisée de la jeune fille, qu'on nomme parfois « enfant-femme ». Plusieurs préadolescentes ressentent alors le « besoin » de se maquiller, de porter des vêtements sexy et provocants, d'aller chez l'esthéticienne, et ce, dès 8 ou 9 ans. *Be cool... be sexy !* De plus en plus de jeunes filles se font même épiler le pubis, ce qui n'est évidemment pas un besoin normal à cet âge. Elles sont ainsi transformées en objet de séduction, alors qu'elles n'ont pas encore les moyens d'être sujets de désir !

Les médias ont tout intérêt à exploiter cette image et ce style vestimentaire ; les préados et les ados constituent un marché très lucratif pour les entreprises. Les *tweens* (les filles âgées de 8 à 13 ans) sont plus particulièrement visées et dépensent, au Canada seulement, plusieurs milliards de dollars annuellement.

### Compression de l'âge

L'hypersexualisation des jeunes, surtout des filles, commence de plus en plus tôt. Cette précocité est souvent désignée comme la « compression de l'âge » (de l'anglais *age compression*) : les enfants adoptent des attitudes ou s'adonnent à des activités qui, auparavant, étaient plutôt associées aux adolescents. Les changements physiques liés à la puberté chez les filles, notamment les règles, apparaissent de plus en plus tôt. L'intérêt de ces dernières pour la mode, la coiffure et le maquillage se manifeste souvent dès l'école primaire.

Du côté des garçons, ils sont de plus en plus jeunes à demander un ordinateur portable ou un téléphone intelligent. Cette accélération soumet nos enfants à des situations d'adolescents bien avant leur âge, et sans qu'ils aient nécessairement la maturité affective pour y faire face sans pression.

### Quelles sont les conséquences de l'hypersexualisation chez nos jeunes ?

L'hypersexualisation des jeunes est un phénomène relativement nouveau, et on commence à peine à saisir son ampleur et son impact réel sur nos enfants. Plusieurs s'inquiètent des effets néfastes de cette sexualisation précoce, spécialement sur les jeunes filles. Les conséquences de ce phénomène sont observables à différents niveaux.

*L'apparence physique avant tout!*
Le culte voué à l'apparence physique et la nécessité de se conformer à la mode sont, pour nos jeunes filles, des tendances très attrayantes qui peuvent leur procurer des avantages évidents: un sentiment d'appartenance à un groupe, la valorisation auprès des garçons, la fierté d'attirer l'attention, etc. Ces bénéfices immédiats les motivent à suivre le pas. Lorsqu'elles réussissent à le faire, elles semblent gagner une grande confiance en elles; malheureusement, cette assurance est bien fragile puisqu'elle est fondée sur leur apparence physique plutôt que sur leurs qualités personnelles. Trop souvent, elles admirent la beauté avant d'apprécier la personnalité et l'intelligence. *Or, l'aspect physique n'offre qu'un pouvoir limité et éphémère.*

Cet endoctrinement des préados, par la mode et les messages sexualisés, engendre une distorsion de leur jugement et de leurs repères; il les amène à fonder leur recherche d'identité (si importante à la puberté) sur leur allure seulement: ce dont on a l'air est plus important que ce qu'on est ou que ce qu'on fait. L'image corporelle, la tenue vestimentaire et le souci de ressembler aux modèles de femmes-objets (tellement bien représentées par toutes ces vedettes pop féminines) déclassent et mettent même au rancart les intérêts intellectuels ou l'importance des résultats scolaires, notamment. Le problème imminent pour nos jeunes préadolescentes est donc de trouver leur seule source de valorisation dans l'apparence physique et d'y asseoir les fondements de leur estime de soi, une estime qui sera par conséquent très fragile et qui pourra s'écrouler au moindre obstacle.

## L'obsession de la perfection

Le phénomène de l'hypersexualisation entraîne évidemment le culte de la beauté chez nos filles. L'image projetée par les mégastars féminines et les différentes publicités (vidéoclips, Internet, magazines) alimente chez nos jeunes le besoin de s'y conformer, et provoque un stress lié à l'apparence ainsi qu'une profonde déception pour celles (et ceux) qui ne peuvent être à la hauteur de ces « normes ». La préoccupation du corps parfait chez nos jeunes filles prépubères frôle malheureusement souvent l'obsession : elles se trouvent trop grosses, se plaignent d'avoir de trop grosses cuisses, de trop petits seins, trop de ventre... Comme elles se sentent valorisées seulement par leur apparence et par le regard des autres, il n'est pas étonnant que les cas de troubles du comportement alimentaire, tels que l'anorexie, soient en progression. Les jeunes sont de plus en plus préoccupés par leur poids.

### Banalisation de la sexualité et stéréotypes

L'hypersexualisation de nos préados implique également une exposition précoce à la sexualité et à la pornographie. Le clavardage sexuel, la cyberpornographie, la banalisation de certains actes sexuels (dont le sexe oral) ont des conséquences sur les valeurs et les fondements de ce que devrait être une relation amoureuse saine à cet âge. D'ailleurs, les rapports hommes/femmes présentés à la télé, dans les vidéoclips et dans les médias en général ont tendance à suivre le modèle « homme dominateur et femme sexy et soumise ». Cela favorise évidemment les relations superficielles et alimente les stéréotypes, ce qui n'est guère souhaitable pour nos jeunes.

### Une maturité affective inadéquate

Le problème, c'est qu'on façonne l'image des jeunes filles pour qu'elles aient un potentiel de séduction sexuelle (et même érotique) avant même d'avoir la maturité nécessaire pour l'assumer ou pour faire face aux conséquences. Bien sûr, les jeunes filles ne sont pas totalement conscientes de l'aspect séduction de leurs vêtements ou de leur comportement, puisque c'est simplement une mode qu'elles suivent. L'hypersexualisation contribue donc à la perte de l'enfance et pousse prématurément nos préadolescentes vers un monde qui ne devrait pas encore être le leur.

## Comment minimiser la tendance à l'hypersexualisation ?

Juliette n'a que 10 ans et, pourtant, elle a des mèches de cheveux colorées, affiche le maquillage d'une adolescente et porte les nouveaux sous-vêtements « tendance » ainsi que des gilets-bedaine. Certains parents se sentiraient dépassés par cette situation, d'autres n'en feraient pas de cas, d'autres encore seraient admiratifs ou même complices. Quelle attitude doit-on adopter comme parents ? Une chose est certaine : l'hypersexualisation a un impact sur nos enfants et c'est à nous, parents, d'en minimiser les conséquences à court ou à moyen terme. Pour ce faire, je vous propose quelques pistes d'intervention.

### Éviter d'encourager ou de banaliser

Comme nous sommes nous-mêmes influencés par la mode et les médias, nous avons parfois tendance à « embarquer » dans ce mouvement ou, du moins, à banaliser l'hypersexualisation et à croire que c'est normal. « Toutes les filles s'habillent ainsi », « C'est la mode », « Si je ne lui achète pas ce genre de vêtements, elle sera différente des autres »... Par de telles excuses, bien des parents « cautionnent » l'hypersexualisation. Certains vont même jusqu'à complimenter leurs filles, ce qui a pour effet d'encourager ces changements et de leur transmettre des valeurs fondées surtout sur l'apparence physique.

### Établir les limites parentales

Mettre des limites fait partie de notre rôle de parents. Nous avons le droit – et même le devoir – de dire non dans certaines situations. Nous ne sommes pas obligés d'acheter une camisole moulante à notre fille de 9 ans parce que c'est la mode ou parce que toutes ses amies en ont une. Refuser représente même une bonne façon d'inculquer progressivement à son enfant qu'on ne cautionne pas cette mode, qui va à l'encontre des valeurs prônées dans la famille.

Au lieu d'interdire de façon catégorique et sans explications le port de certains vêtements, profitez-en pour en discuter. Expliquez à votre enfant les raisons qui justifient votre intervention, de façon à ne pas brimer sa liberté d'expression et son besoin de s'affirmer, un besoin tout à fait légitime à la puberté. Présentez-lui les valeurs que vous voulez lui transmettre. Cela fait partie de l'éducation de votre jeune.

## L'exemple à l'école

Les tenues vestimentaires provocantes sont interdites par le code vestimentaire en vigueur dans de nombreuses écoles. Les autorités scolaires précisent ainsi ce qui est acceptable et ce qui ne l'est pas, en concordance avec le code de vie ou de conduite de l'établissement. En appuyant ouvertement la direction de l'école dans cette démarche, vous envoyez un message clair à votre jeune.

### Mettre l'accent sur les bonnes valeurs

En tant que parents, nous devons d'abord établir nos valeurs, puis les présenter clairement à nos enfants. N'hésitez pas à en parler avec vos jeunes. Valorisez leurs aptitudes et leur personnalité, et évitez de mettre l'accent sur leur apparence.

En misant tout sur l'attrait physique de notre enfant à cette période de son développement (construction de son identité), nous risquons de lui transmettre de fausses valeurs. Nous devons donc tenter, en tant que parents, d'éloigner nos jeunes de ces valeurs du «paraître seulement» et mettre l'accent sur les valeurs sûres: personnalité, talents, intérêts, etc. En d'autres mots, valorisons notre jeune pour ce qu'il est et non par rapport à sa beauté ou à ses vêtements.

### Développer leur sens critique vis-à-vis des médias

Il ne faut pas hésiter à prendre position face aux messages transmis à nos jeunes par les médias, à émettre nos commentaires concernant ce que nous présentent les magazines, les vidéoclips ou les annonces publicitaires, bref, à outiller progressivement nos enfants de manière à développer leur sens critique vis-à-vis des médias (y compris Internet) et des messages qui y sont véhiculés.

Notre responsabilité comme parents est de faire grandir nos préadolescents en respectant les étapes normales de leur développement. Nous devons nous assurer qu'ils ne trouvent pas leur seule source de valorisation dans leur apparence physique, car c'est une base très fragile pour l'estime de soi.

## Les psy-trucs

1. Prendre conscience de l'influence de la mode et des médias (vidéoclips, magazines, télé, Internet) sur nos enfants.
2. Prendre conscience du fait que le phénomène de l'hypersexualisation transforme nos jeunes filles en enfants-femmes, et alimente le culte de la beauté et de l'image physique.
3. Ne pas encourager ni banaliser l'hypersexualisation de nos enfants en prétendant que c'est la mode et que tous les jeunes s'y soumettent.
4. Établir des limites comme parents en ce qui concerne les achats de vêtements jugés sexy (« string », gilet-bedaine, minijupe, etc.).
5. Surveiller les magazines et les sites Internet que nos jeunes consultent et discuter ouvertement des valeurs qui y sont véhiculées.
6. Renforcer l'estime de soi et la confiance en soi de nos préadolescents en valorisant leurs aptitudes, leurs qualités, leur personnalité et leurs intérêts. Éviter de mettre l'accent sur leur apparence physique.

# Nos préados et l'argent de poche

*Les questions que tout parent se pose :*

* Est-ce que l'argent de poche peut aider mon préado à grandir ?
* À quel âge devrais-je commencer à lui donner de l'argent de poche ?
* Combien devrais-je lui donner ?
* Est-ce une bonne idée de le rémunérer pour des tâches ?
* Mon enfant peut-il disposer de son argent comme bon lui semble ?
* Comment puis-je aider mon préado à bien gérer son argent ?

En bas âge, les enfants croient que l'argent pousse dans les arbres ou sort, par magie, des guichets automatiques. Mais en vieillissant, ils prennent de plus en plus conscience de sa valeur ou de son rôle. Ils nous entendent parler d'argent, d'achat de biens, nous voient compter et payer dans la vie de tous les jours. Il est donc normal qu'ils finissent par s'y intéresser. C'est alors que surgissent bien des questions de la part des parents. Notamment, doit-on adhérer à ce système d'argent de poche ? Si oui, comment répondre aux attentes de nos enfants sans qu'ils succombent à la surconsommation ?

### Est-ce que l'argent de poche peut aider mon préado à grandir ?

L'argent de poche n'est certes pas essentiel pour un jeune qui est logé, nourri et habillé. C'est, par contre, une belle façon de développer son autonomie et de le responsabiliser. Il peut ainsi sentir qu'on lui fait confiance et qu'on croit en sa capacité de devenir adulte. L'argent de poche permet à l'enfant de faire différents apprentissages : gérer un budget, développer le sens de l'économie, réaliser que ce n'est pas possible de tout acheter, qu'il faut parfois attendre et désirer quelque chose. Finalement, cela l'amène à faire des choix de consommation et à prendre conscience de la *valeur* de l'argent.

Bien que nos enfants aient comme premier réflexe de tout dépenser sur des coups de tête, ils finissent par apprendre à gérer leurs besoins de consommation, deviennent progressivement plus conséquents dans leurs dépenses et apprennent à économiser pour obtenir les objets qu'ils veulent vraiment.

L'argent de poche leur permet également de devenir responsables et de prendre conscience du prix et de la valeur des choses. Ce sera le cas, par exemple, du lecteur mp3 acheté avec leur propre argent, qu'ils manipuleront évidemment avec plus de soin que si nous l'avions acheté à leur demande.

En étant responsable de ses quelques dollars, notre enfant fera ses premiers pas dans la société marchande et se sentira investi d'un certain pouvoir et d'une autonomie qui rehausseront son estime de soi.

## À quel âge devrais-je commencer à lui donner de l'argent de poche ?

On ne devrait commencer ce système régulier d'argent de poche que vers l'âge de 8 ans. Avant cela, la majorité des enfants n'ont pas conscience de ce qu'est vraiment l'argent : ils sont beaucoup plus attirés par l'accumulation des pièces elles-mêmes que par leur valeur marchande. En fait, il est suggéré d'attendre que l'enfant manifeste ce désir. Lorsqu'il affirme ressentir le besoin d'avoir son propre portefeuille ou d'avoir de l'argent pour acheter quelque chose, c'est signe qu'il en saisit la valeur marchande et qu'il veut se le procurer.

À la préadolescence et à l'adolescence, les jeunes éprouvent un besoin criant d'avoir leurs propres sous (en parallèle avec leur besoin grandissant d'autonomie !). Toutefois, il n'est pas rare que certains d'entre eux refusent de recevoir de l'argent de poche, souvent par manque de maturité, de confiance en soi ou par inquiétude. Inutile de trop insister dans ce cas, mais il y a lieu de s'interroger sur les causes : est-ce que ce besoin d'argent est amplement comblé par les parents, ou est-ce un refus de grandir de la part des enfants ?

## Combien devrais-je lui donner ?

D'abord, précisons ce qu'est l'argent de poche. Selon *Le Petit Robert*, il s'agit de sommes « destinées aux menues dépenses personnelles ». On ne parle donc pas ici de gros montants.

Mais combien au juste donner à son enfant ? Tout dépend, évidemment, de nos moyens et de nos attentes concernant l'utilisation de cet argent. Il est toutefois préférable de commencer par une petite somme et de l'augmenter progressivement à mesure que le jeune vieillit. Par exemple, un montant de 5 $ par semaine serait probablement raisonnable pour combler « les petites dépenses personnelles » d'un enfant de 10 ans. Vers l'âge de 12 ans, cette somme pourra être plus élevée afin de respecter le besoin d'autonomie plus important de notre préado. Il faut éviter de lui en donner trop afin de ne pas véhiculer la perception de « l'argent facile » ou de favoriser chez lui la *création* de besoins qu'il n'aurait pas s'il n'avait pas cet argent. On le sait bien : plus on a de l'argent, plus on se crée des besoins... souvent inutiles !

En fait, il convient d'établir le montant dans le but non pas d'enrichir notre jeune, mais de le responsabiliser, de le forcer à faire des choix et des sacrifices.

## Est-ce une bonne idée de le rémunérer pour des tâches ?

Tout est une question de valeurs personnelles ou familiales. Il est possible de donner une allocation régulière et de prôner autrement la participation aux tâches ménagères dans les valeurs familiales. Pour plusieurs parents, toutefois, le fait d'associer l'argent de poche aux tâches ménagères ou aux services rendus est une façon de montrer que l'argent se gagne par le travail accompli et qu'on n'a rien pour rien.

Il est, par contre, déconseillé de donner une somme d'argent pour à peu près tout : se brosser les dents, faire son lit, ranger sa chambre ou sa vaisselle... Il est normal que nos jeunes fassent leur part à la maison. De plus, quand on donne à notre enfant une récompense matérielle pour tout ce qu'il fait, cela efface tout sens de l'entraide et de la solidarité familiale et anéantit toute motivation personnelle : il ne connaîtra jamais la fierté de se prendre en main ou d'avoir pris l'initiative de participer aux tâches ménagères.

Une formule équilibrée serait peut-être d'offrir à notre jeune une somme régulière tout en s'attendant à ce qu'il fasse les tâches minimales liées à la vie familiale, et de rémunérer occasionnellement les services exceptionnels (laver la voiture, nettoyer les vitres, participer aux travaux de peinture...), histoire de lui faire comprendre que le travail bien fait mérite un salaire. Ces travaux exceptionnels rémunérés motivent l'enfant à prendre des initiatives et pourraient même l'encourager à offrir ses services aux voisins.

Il faut cependant éviter d'associer l'allocation à l'atteinte de bons résultats sportifs ou scolaires et, surtout, de l'utiliser comme objet de chantage affectif concernant certains comportements : « Si tu es impoli, je coupe ton argent de poche », « Tu pourras oublier ton allocation si tu ne joues pas avec ton petit frère », etc.

## N'oubliez pas les récompenses affectives !

Bien que le système d'allocation puisse être bénéfique au développement de notre jeune, ne négligeons pas pour autant les récompenses *affectives* qui aident à créer une relation de qualité parent/enfant. On peut, par exemple, préparer son gâteau préféré, lui offrir d'aller au cinéma avec lui, jouer à des jeux de société ensemble, etc. Ce type de récompense s'avère toujours plus payant à long terme.

### Mon enfant peut-il disposer de son argent comme bon lui semble?

Rappelons-nous que notre rôle comme parents est de garder un œil sur ce que fait notre jeune, y compris de son allocation. Engagez-vous à lui verser son argent de poche toutes les semaines ou tous les mois à condition qu'il en fasse bon usage. Bien sûr, il voudra parfois s'acheter des gadgets ou d'autres futilités dont raffolent tous les jeunes, mais dans la mesure où l'achat n'est pas illicite ou dangereux, essayez de ne pas trop intervenir. Par contre, s'il décide de s'acheter, par exemple, un cellulaire qui nécessitera par la suite d'autres frais, vous devez intervenir. Tentez avant tout de comprendre pourquoi il veut se procurer cet objet. Dans ce groupe d'âge, l'appartenance à un groupe ou la peur d'être rejeté prennent tellement d'importance que sa décision ne s'appuie peut-être pas sur les bons fondements.

Pour un jeune, l'argent de poche a une fonction d'intégration sociale avant tout : se procurer le CD en vogue ou le dernier jeu vidéo, aller au resto ou au cinéma avec ses amis, etc. En évitant de vous immiscer dans ce processus (à moins qu'il ne s'agisse d'un achat problématique), vous lui manifestez votre confiance et votre respect. Votre tolérance quant à ses choix lui permettra d'apprendre à mieux dépenser.

Notre rôle se résumerait donc à guider notre enfant afin d'éviter le gaspillage continuel et de le diriger progressivement vers la notion d'économie.

### Mon enfant gaspille sans cesse son argent

Il est important de clarifier vos attentes face à l'argent de poche. Bien qu'il soit acceptable de le dépenser pour des babioles en tous genres, votre jeune doit comprendre que cet argent devra servir aussi aux achats d'éléments plus importants qu'il ne pourra se procurer que s'il fait des économies. S'il gaspille continuellement ses sous, vous pouvez exiger qu'il en économise un certain pourcentage, par exemple en le déposant dans un compte bancaire.

## Comment puis-je aider mon préado à bien gérer son argent ?

Si votre enfant reçoit une allocation régulière, ne cédez surtout pas à la tentation de lui remettre le montant qui lui manque pour aller au cinéma avec ses amis ou pour acheter le dernier jeu vidéo. S'il n'a pas assez de sous, il devra attendre! Ces situations de privation lui permettent d'apprendre à planifier son argent et de comprendre l'importance de cette planification financière. Savoir gérer son argent ne s'apprend qu'à l'usage! Ainsi, votre préado prendra graduellement conscience du fait qu'avec une bonne gestion de son budget, il pourra s'offrir beaucoup plus qu'en dépensant son argent de manière continue ou compulsive.

### Notre jeune et l'épargne

L'épargne n'est pas très excitante pour un jeune... sauf si elle est associée à un projet qui le passionne ou à l'achat d'un objet bien précis (planche à neige, lecteur mp3, mobylette, etc.). Il sera ainsi plus motivé à mettre des sous de côté. Cette façon d'économiser lui permet d'aller au bout d'un rêve et devient alors un plaisir plutôt qu'une corvée. Comme parents, on peut l'aider à sélectionner un projet selon ses passions et être complices.

On peut aussi l'aider à faire des épargnes en bonifiant ses économies. Par exemple, vous pouvez lui remettre 1 $ pour chaque tranche de 5 $ économisés. Montrez-lui régulièrement son relevé bancaire pour qu'il voie son évolution financière. Vous pourriez également lui fabriquer un tableau avec son objectif à atteindre, soit le montant de l'objet tant désiré; cela maintiendra plus facilement sa motivation face à l'économie.

**Maman, peux-tu me prêter 20 $ ?**

Il est fortement déconseillé d'accepter une demande de prêt de notre enfant. S'il lui manque des fonds pour obtenir l'objet convoité ou parce qu'il a trop dépensé, il devra attendre et réviser sa planification financière. Accepter une demande de prêt serait l'encourager à s'endetter ou l'initier prématurément au « crédit ». Il faut plutôt profiter de la situation pour lui faire prendre conscience de l'importance de prévoir, de planifier et d'économiser !

Gérer son argent de poche, comprendre la valeur de l'argent, s'initier à l'économie, établir ses priorités d'achats et même les prévoir, tout cela constitue un apprentissage intéressant pour nos jeunes, dans la mesure où nous supervisons le tout et gardons en tête qu'il est toujours possible de faire des ajustements ou de changer la façon de faire les choses.

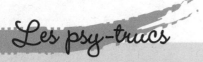

# Les psy-trucs

1. Prendre conscience de ce que l'argent de poche est une belle façon de développer l'autonomie et de responsabiliser son enfant. Cela lui permet de sentir qu'on lui fait confiance.

2. Ne pas associer l'argent de poche aux tâches ménagères ou aux services réguliers (faire sa chambre, desservir la table...) pour ne pas effacer son sens de l'entraide et de la solidarité familiale. Il est normal que notre préadolescent fasse sa part à la maison !

3. Offrir un montant fixe et régulier, et rémunérer occasionnellement les services exceptionnels (laver la voiture, peindre la clôture, etc.).

4. Éviter d'associer l'allocation à l'atteinte de bons résultats sportifs ou scolaires.

5. Ne jamais se servir de l'argent pour punir son enfant pour des mauvais résultats scolaires ou pour des comportements reprochés (chantage).

6. Attribuer un montant raisonnable, qu'on pourra augmenter selon l'âge de notre jeune.

7. Manifester notre confiance envers notre jeune en ce qui concerne ses achats, tout en le supervisant.

8. Encourager les économies en vue d'atteindre un objectif précis (achat d'un vélo, d'une planche à neige, etc.).

# L'intimidation chez nos jeunes

*Les questions que tout parent se pose :*

* Qu'est-ce que l'intimidation ?
* Quelles sont les formes d'intimidation ?
* Qu'est-ce que la cyberintimidation ?
* Quelles sont les conséquences de l'intimidation ?
* Comment savoir si mon enfant est victime d'intimidation ?
* Comment puis-je aider mon préadolescent à s'en sortir ?
* Mon enfant est-il un intimidateur ?

Votre fils Jonathan, qui est âgé de 11 ans, refuse tout à coup d'aller à l'école. Il dit qu'il est toujours tout seul dans la cour de récréation et que des gars l'embêtent constamment. Il affirme qu'il en a parlé à la surveillante mais que rien ne change. Son comportement à lui s'est toutefois modifié depuis quelques semaines : il est de plus en plus nerveux, se montre peu motivé face à l'école, a de la difficulté à s'endormir et présente des sautes d'humeurs inexpliquées... Cette situation inquiétante indique peut-être que votre fils Jonathan est victime d'intimidation, comme plusieurs enfants de ce groupe d'âge. Si c'est le cas, il a besoin de votre aide !

### Qu'est-ce que l'intimidation ?

L'intimidation est d'abord un problème relationnel. C'est un abus de pouvoir qu'un enfant exerce sur un de ses pairs (plus jeune ou parfois du même groupe d'âge). Lorsqu'on parle d'intimidation, on ne parle évidemment pas d'un simple conflit entre enfants. Il est plutôt question de relation abusive où la violence, verbale et/ou physique, est présente sur une *base constante et répétitive*.

L'agressivité de l'intimidateur ou le contrôle qu'il exerce ont pour but de nuire à la victime et de maintenir sa position de pouvoir envers elle, ce qui engendre donc une relation dominant/dominé. Le dominant peut également imposer une forme de « taxage » (extorsion) en menaçant la personne qu'il intimide dans le but de prendre possession, contre son gré, de différents articles (appareils électroniques, vêtements, argent, etc.).

Il y a intimidation lorsqu'un ou plusieurs enfants s'acharnent, de façon répétitive, sur un autre en lui disant des choses blessantes (moqueries, insultes), en le rejetant volontairement, en le frappant ou en le bousculant, en racontant des mensonges à son sujet ou en lançant de fausses rumeurs le concernant, en le volant ou en l'extorquant. Selon certaines statistiques, 10 % des enfants seraient victimes d'intimidation. Toutefois, ce pourcentage pourrait être plus élevé en réalité, puisque bien des victimes se taisent et refusent de dénoncer la situation.

## L'intimidation, un tabou ?

L'intimidation demeure un tabou chez nos enfants. En fait, moins de la moitié des victimes osent en parler pour différentes raisons : ces jeunes ont honte, craignent les représailles de la part des intimidateurs ou ont peur de se voir traités de « délateurs ».

Il en va de même pour les *témoins* d'intimidation. Les statistiques révèlent en effet que plus de 80 % d'entre eux n'osent pas la dénoncer. Malheureusement, le silence des victimes et des témoins entretient et même amplifie le phénomène de l'intimidation.

*L'intimidation se nourrit du silence des victimes et des témoins.*

Voici quelques cas d'intimidation.

* Mathieu, 12 ans, est un enfant timide, discret, aux prises avec un léger excès de poids. Un certain nombre de jeunes de son école secondaire l'ont rapidement pris en grippe à son arrivée : ils l'insultent souvent, le traitent de « gros tas » et même le bousculent à l'occasion. Ces événements répétitifs ont progressivement affecté Mathieu, à tel point qu'il a maintenant peur de prendre l'autobus et d'aller à la récréation, et qu'il évite de participer à toute activité parascolaire. Il revient d'ailleurs fréquemment à la maison en pleurs. Les gros mots et les surnoms qu'on lui lance gratuitement sont très blessants et lourds de conséquences. Après six mois de ce calvaire, Mathieu a juste hâte que l'année scolaire se termine.

* À 35 ans, Joanne sait très bien ce qu'est l'intimidation, car elle l'a vécue durant deux ans à l'école primaire. Deux années d'enfer ! Elle était constamment victime de moqueries pour toutes sortes de raisons : elle était grande pour son âge et avait plus de formes que les autres filles ; elle était aussi très bonne à l'école. Ses « camarades » de classe la traitaient de « grande échalote bollée », de « téteuse » et la rejetaient. Comme Joanne désirait ardemment se faire des amies, certaines soi-disant amies profitaient d'elle pour mieux la rejeter ensuite. Aujourd'hui, elle garde des séquelles de cette période : elle a de la difficulté à travailler en groupe, préfère interagir par ordinateur et répond rarement au téléphone ou à la porte, laissant son conjoint s'en occuper.

L'intimidation est un phénomène étendu, tant au primaire qu'au secondaire. Elle peut avoir de graves conséquences psychologiques, présentes et futures, chez le jeune qui en est victime. Il ne faut donc pas banaliser ce problème, mais, au contraire, intervenir rapidement auprès des jeunes qui intimident et aider ceux qui en sont victimes. C'est un problème très sérieux et aux répercussions suffisamment importantes pour que l'Ordre des psychologues du Québec ait décidé de lancer une campagne provinciale de prévention[1].

## Quelles sont les formes d'intimidation?

L'intimidation se produit généralement à l'insu des adultes, là où la surveillance est le moins élevé: sur le trajet de l'école, dans l'autobus, les vestiaires ou la cour de récréation. On peut classer l'intimidation en deux volets:

1. **l'intimidation indirecte,** qui se fait en l'absence de la victime (exclure, ignorer ou rejeter la personne, parler dans son dos, faire courir à son sujet des rumeurs ou dire des mensonges lui causant du tort, nuisant à sa réputation, etc.);

2. **l'intimidation directe,** qui a lieu en présence de la victime (injurier, menacer ou bousculer la personne, lui dire des bêtises, lui lancer des surnoms méchants, se moquer d'elle, etc.).

L'intimidation peut aussi prendre plusieurs formes:

* **physique:** frapper, pousser, cracher sur la personne, voler ou endommager ses biens;
* **verbale:** humilier, donner des surnoms, se moquer, menacer, faire preuve de racisme ou de sexisme;
* **sociale:** exclure volontairement et inlassablement la personne, la rejeter, lancer des rumeurs à son sujet (commérages);
* **électronique:** diffamation, insultes, harcèlement par courriel, Internet, messages textes ou appels téléphoniques... On parle alors de cyberintimidation (voir la section suivante);

---

1. L'Ordre des psychologues a préparé une brochure sur le sujet: *L'intimidation entre enfants: c'est aussi l'affaire des parents.* Cette publication est offerte sur le site de l'organisme: www. ordrepsy.qc.ca/documentations et médias/brochures, dépliants et affiches.

✳ **raciale/religieuse**: se moquer d'une personne ou la traiter avec mépris en raison de sa race ou de ses croyances religieuses;

✳ **sexuelle**: intimider quelqu'un ou faire des blagues ou des remarques sexistes à son sujet, faire des attouchements de nature sexuelle (pincer, cajoler...), manifester de l'homophobie (traiter un jeune de «fif», de «tapette», de «*fag*»...);

✳ **reliée à un handicap ou à une différence physique**: se moquer d'une personne ou la traiter avec mépris en raison d'un handicap quelconque ou d'une différence physique (poids, taille, grandeur, incapacité, etc.).

En fait, les intimidateurs ciblent souvent des jeunes qui font partie d'un groupe minoritaire (race, religion, orientation sexuelle), qui sont marginaux ou tout simplement différents d'eux. Ils ne s'attaquent pas aux enfants qui sont populaires ni à ceux qui ne se laisseront pas faire et qui réagiront avec aplomb et énergie. Ils se tourneront plutôt vers celui qui semblera incapable de se défendre, qui aura l'air anxieux, vulnérable, craintif.

## Qu'est-ce que la cyberintimidation?

La cyberintimidation est une forme d'intimidation moderne qui a comme moyen de propagation les supports électroniques: courriels, Internet, textos, etc. L'intimidateur peut ainsi harceler, insulter, exclure socialement une personne, diffuser des photographies ou des messages malveillants sur sa victime, de façon anonyme ou pas.

Ce qui est particulièrement problématique en ce qui a trait à la cyberintimidation, c'est la distance physique qui sépare la victime de son intimidateur; ce dernier peut même utiliser un pseudonyme pour préserver son anonymat. Les jeunes se sentent ainsi plus «libres» de dire des choses ou de commettre des actes qu'ils n'oseraient pas faire dans la «vie réelle» ou s'ils étaient devant leurs victimes. En n'étant pas directement témoins des conséquences de leurs gestes, ils ressentent beaucoup moins de honte ou de remords. En tant que parents, nous devons être au courant de ce phénomène et bien encadrer notre jeune dans sa manière d'utiliser Internet. Il est essentiel de lui faire comprendre que le caractère « anonyme » du Web ne lui permet pas de tout dire ou d'écrire tout ce qui lui passe par la tête, sans conséquences, ou sans qu'il doive en prendre la responsabilité.

## La cyberintimidation et la loi

Informez votre préadolescent que certaines formes de cyberintimidation sont illégales et peuvent faire l'objet de sanctions. C'est le cas, entre autres, des messages répétés qui menacent la sécurité de quelqu'un ou d'une institution, ou encore des messages haineux ou méprisants pouvant nuire à la réputation. En fait, toute communication qui répand haine et discrimination fondée sur la race, la religion, le sexe, l'orientation sexuelle, le handicap, entre autres, peut faire l'objet de poursuites judiciaires.

## Quelles sont les conséquences de l'intimidation ?

Il ne faut surtout pas sous-estimer les conséquences de l'intimidation sur les victimes. Toutes les recherches le confirment : l'intimidation nuit au développement de l'enfant, cause des dommages moraux et psychologiques parfois irréversibles, pouvant mener le jeune au décrochage scolaire, à la dépression et même au suicide. Elle est responsable de 15 % de l'absentéisme scolaire.

Les effets possibles de l'intimidation chez le jeune sont les suivants :

* augmentation du stress et de l'anxiété ;
* insomnie ;
* dépression ;
* maladie ;
* isolement/repli sur soi ;

* baisse de la motivation scolaire;
* baisse des résultats scolaires;
* augmentation du risque de suicide;
* perte d'appétit;
* changement d'humeur et irritabilité;
* perte de l'estime de soi.

L'intimidation a également des conséquences à long terme pour le jeune (selon la gravité ou la durée de l'intimidation) et peut avoir des répercussions jusqu'à l'âge adulte, dont voici les principales :

* inhabiletés sociales;
* timidité excessive;
* faible estime de soi;
* manque de confiance en soi et dans les autres;
* peur des moqueries ou du jugement des autres;
* dépression.

Les situations d'intimidation entraînent donc des conséquences très graves à court, à moyen et à long termes puisqu'elles s'étendent souvent sur plusieurs années. L'*estime de soi* en prend évidemment un grand coup. Le jeune se sent graduellement rejeté, voire détruit, et ne se perçoit plus comme «aimable». Il est graduellement envahi par un grand sentiment de solitude et par la peur (insécurité); s'ensuit parfois une dépression pouvant mener à des actes de suicide ou de violence (ces situations sont à l'origine, par exemple, de certaines tueries dans des écoles). Puisque les actes blessants commis à son égard sont répétés, souvent sur une longue période, le jeune qui en est victime a de plus en plus de difficulté à s'en sortir. Il est donc primordial de détecter ces situations de détresse et d'agir rapidement en faisant appel à des ressources professionnelles.

## Comment savoir si mon enfant est victime d'intimidation ?

Il n'est pas toujours facile de détecter les signes d'intimidation et, malheureusement, on ne peut pas s'attendre à ce que notre enfant vienne systématiquement nous en parler quand ça arrive, puisque plus de 50 % des victimes gardent leur problème pour elles. Il faut donc être à l'affût des signes ou des changements de comportement chez notre jeune.

Les signes suivants constituent des indices qu'il faut prendre au sérieux. Si votre enfant est victime d'intimidation, il peut :

* se désintéresser de l'école ;
* avoir des sautes d'humeur ou être irritable ;
* manquer d'appétit ;
* souffrir de maux de ventre ou de maux de tête ;
* être plus stressé et plus anxieux que d'habitude ;
* souffrir d'insomnie ;
* s'isoler ou se replier sur lui-même ;
* perdre sa motivation pour l'école ;
* moins bien réussir à l'école, et ce, de façon notable ;
* sembler malheureux ;
* refuser de prendre l'autobus ;
* se rendre à l'école par un chemin différent ou carrément refuser d'y aller ;
* éviter de participer aux activités parascolaires (culturelles ou sportives).

Ces signes devraient vous mettre la puce à l'oreille. Tentez de comprendre ce qui a entraîné ces changements de comportement et d'attitude chez votre préado, que ce soit l'intimidation ou non. Posez-lui des questions sur son comportement en classe. Tentez de savoir comment ça va avec les amis, s'il y a des camarades de classe qu'il n'aime pas et pourquoi. Demandez-lui également s'il a de la difficulté à se placer en équipe dans la classe, s'il est souvent seul dans la cour et si certains jeunes se moquent de lui.

**Pourquoi mon enfant?**

Certains enfants seront plus « disposés » que d'autres à subir de l'intimidation. Plusieurs raisons peuvent être invoquées :

* des différences concernant la race, la religion, l'apparence physique (poids, taille, présence d'acné, etc.);
* l'orientation sexuelle;
* le fait d'avoir peu d'amis ou de ne pas en avoir du tout;
* une faible estime de soi;
* des difficultés à entrer en relation avec les autres;
* une tendance à être silencieux, soumis, timide ou hypersensible.

Peu importe la façon dont vous découvrirez le problème, ne le banalisez pas et intervenez avant que les conséquences s'aggravent.

## Comment puis-je aider mon préadolescent à s'en sortir?

Il ne faut pas prendre l'intimidation à la légère en affirmant que tous les jeunes vivent des situations sociales tendues pouvant dégénérer à l'occasion. Les conséquences sont graves. Nous devons envoyer un message clair aux jeunes :

*L'intimidation, c'est tolérance zéro !*

N'oublions pas que le harcèlement et l'intimidation chez les adultes sont considérés comme des actes criminels, alors soyons conséquents envers nos jeunes !

Soyez à l'écoute de l'enfant qui vous exprime son désarroi face à une situation qui lui empoisonne la vie et prenez les mesures qui s'imposent, si cela est nécessaire. Mais que faire au juste ? Je vous propose quelques avenues.

* **Rassurer son enfant.** Votre enfant aura probablement peur de dénoncer ses agresseurs (cela fait partie de l'intimidation) ou aura peut-être honte d'avouer ce qu'il vit. Dites-lui que vous comprenez ses craintes, qu'il n'est pas seul et que vous allez l'aider, mais mentionnez également que vous devez en parler avec les intervenants de l'école et prendre les mesures qui s'imposent *pour son bien.*

* **Le rassurer de nouveau !** Dites à votre préado qu'il n'est pas un délateur : il a raison de parler de l'intimidation qu'il subit et il ne sera pas jugé pour l'avoir fait.

* **Ne pas l'inciter à se défendre seul.** Cela pourrait envenimer la situation et se retourner contre votre enfant.

* **Obtenir des détails.** Invitez votre enfant à vous expliquer la situation afin de rassembler le plus de renseignements possible. Demandez-lui de vous décrire dans quelles circonstances cela se produit, qui sont ces jeunes qui l'intimident et combien ils sont. Est-ce arrivé plus d'une fois ? Est-ce régulier ? À quel endroit cela se produit-il ? Les réponses obtenues vous permettront d'évaluer la situation et de déterminer si vous pouvez régler le problème avec votre enfant ou si vous devez réclamer l'intervention de l'école.

* **Ne pas agir de façon impulsive.** Pas question de se précipiter à l'école pour rencontrer la direction ou l'enseignant ! Ne tentez pas non plus de confronter les jeunes qui intimident votre enfant. Prenez le temps d'écouter votre jeune et de lui poser certaines questions pour bien cerner la situation.

* **Encourager son enfant à trouver lui-même une solution.** Si possible, aidez votre préado à s'affirmer par des phrases clés pour répondre aux insultes et à réagir adéquatement face à ces situations. Les intimidateurs laissent parfois tomber quand la victime ne réagit plus comme ils le voudraient.

* **Dénoncer.** Si la situation perdure, encouragez votre jeune à en parler lui-même avec son enseignant ou avec une personne de confiance à l'école. Dites-lui qu'il devra décrire la situation et dénoncer les intimidateurs. Ensuite, demandez-lui à qui il en a parlé afin de suivre l'évolution de la situation et des interventions.

* **Relancer.** Communiquez avec l'intervenant qui a été informé de la situation pour savoir quelles actions ont été prises. Adoptez une attitude de collaboration et évitez la confrontation ou les reproches.

* **Faire un suivi.** Demandez ensuite à votre enfant si la situation a été corrigée à sa satisfaction.

* **Demander de l'aide, au besoin.** Recourez à l'aide d'un professionnel, si cela est nécessaire, pour donner à votre jeune des moyens de s'affirmer, de prendre sa place, de « se défendre ». Augmenter la confiance en soi et l'estime de soi, voilà le meilleur moyen de se prémunir contre le harcèlement et l'intimidation. (Voir aussi la section suivante.)

* **Changer d'école, au besoin.** Envisagez un changement d'école si vous sentez que la direction ne prend pas le problème suffisamment au sérieux et que rien n'est mis en place pour aider votre enfant aux prises avec de la violence physique ou psychologique.

La meilleure façon d'aider votre jeune s'il subit de l'intimidation, c'est de lui faire comprendre *qu'il ne faut pas tolérer ce type de comportements*, en aucun cas. Si la situation se répète, dénoncez-la rapidement et rencontrez le personnel de l'école afin de régler le problème.

## Les amis, une mesure de protection efficace

Ne pas avoir d'amis est un facteur de risque important en ce qui concerne l'intimidation. Le fait d'être entouré de copains assure une certaine protection en éloignant les éventuels intimidateurs, qui ne voudront pas se mettre à dos tout un groupe de jeunes de leur école ou craindront la réaction automatique des amis de la victime.

### L'aide d'un professionnel

Si votre enfant est timide, qu'il a de la difficulté à se faire des amis et est hypersensible, il serait bien d'envisager de consulter un professionnel afin de l'aider à acquérir *une meilleure confiance en soi, lui permettant d'être plus solide devant toute tentative d'intimidation.* On le sait, un intimidateur ne s'en prendra pas à un jeune qui ne se laissera pas faire, qui montrera de la confiance en lui-même ou qui réagira avec affirmation et énergie. Il s'en prendra plutôt à ceux qui sont timides, craintifs et qui semblent incapables de se défendre. L'intimidation est un processus qui débute lentement et qui se développe progressivement, surtout si la personne qui la subit répond mal ou réagit comme une victime. Une bonne préparation et une grande confiance en soi permettent souvent d'éviter que certaines situations dégénèrent et se transforment progressivement en une intimidation soutenue.

Il ne faut jamais croire que notre enfant victime d'intimidation le sera « à vie ». On peut changer cette situation et lui donner des moyens de s'en sortir et de mieux se défendre en allant chercher de l'aide chez un professionnel. Cette aide sera encore plus pertinente si l'un des parents a lui-même vécu de l'intimidation dans sa jeunesse. En effet, ce parent aura tendance à surprotéger son enfant ou à lui envoyer le message que c'est simplement un dur moment à passer, car il se sentira lui-même impuissant ; il sera donc mal placé pour aider son jeune dans ce cas, d'où l'importance de consulter un professionnel.

### Parent intimidé : le cas de Pascale et d'Édith

Pascale, une jeune fille de 11 ans, vient me consulter avec sa mère, Édith, parce qu'elle est victime d'intimidation dans l'autobus scolaire. Édith montre des signes de détresse importants : elle est très émotive, pleure et a de la difficulté à expliquer clairement la situation de sa fille. En parlant avec elle, je découvre qu'elle a elle-même été victime d'intimidation dans sa jeunesse et que la situation de sa fille lui fait revivre cette époque qu'elle voudrait tant oublier. Elle se sent dépassée par la situation et a comme seul réflexe de surprotéger Pascale en la conduisant à l'école pour lui éviter d'avoir à prendre l'autobus. Or, cette façon de réagir entretient la peur, tant chez Pascale que chez Édith.

Il est évident que la mère n'a pas la capacité de soutenir sa fille et de lui fournir une aide efficace. La consultation permet donc, d'une part, d'établir l'importance, pour la mère, d'arrêter de parler de sa propre situation devant Pascale et de ne pas entretenir ce climat de peur et de protection abusive, et, d'autre part, de trouver les bons moyens pour dénoncer la situation et y mettre un terme.

### Une politique d'intervention dans nos écoles

Tant au Canada qu'ailleurs dans le monde, les chercheurs soulignent l'importance d'adopter une politique et un programme de lutte contre l'intimidation dans les écoles. L'objectif : transmettre le message que *« l'intimidation, c'est tolérance zéro »* et expliquer clairement aux intimidateurs les conséquences de leur geste.

Lorsqu'il est question d'intimidation, on ne se tait pas ! Il faut dénoncer et passer à l'action ; cela est vrai tant pour la victime que pour les témoins de l'intimidation, le personnel enseignant et les parents. Tous les intervenants doivent se sentir concernés : direction de l'école, enseignants, surveillants de la cour de récréation, parents, chauffeurs d'autobus, brigadiers scolaires, etc.

Ce genre de programme a généralement un effet bénéfique, tant que la politique est claire et que les jeunes se sentent soutenus.

## Mon enfant est-il un intimidateur ?

Tout parent est ébranlé d'apprendre que son enfant est un intimidateur. La première réaction est souvent de nier le fait. Mais quel est donc le profil de l'intimidateur ?

L'intimidateur peut lui-même vivre de l'intimidation dans sa famille, souvent de la part de parents qui ont une approche disciplinaire très rigide, parfois même violente.

L'enfant intimidateur a généralement une bonne estime de soi – en surface du moins. Il ressent peu d'empathie envers les autres et est très à l'aise avec la violence, qu'il voit même de façon positive. Il exerce généralement sa dominance grâce à sa taille, à sa force, à son âge, à son intelligence ou à son statut social (il est plus populaire ou mieux nanti...). Il peut choisir d'intimider les autres parce qu'il croit que c'est avantageux pour lui, parce qu'il recherche le pouvoir ou la popularité ou parce qu'il considère la violence comme un moyen efficace de s'affirmer ou de se venger. Il est à noter que les intimidateurs sont souvent des enfants malheureux qui se vengent sur les plus faibles qu'eux.

Devant cette situation, il est très important d'intervenir et d'aider l'enfant intimidateur à se défaire de tels comportements. S'il n'est pas pris en main, ses résultats scolaires peuvent chuter, il peut perdre ses amis et court le risque d'adopter de telles attitudes (insultes, agressivité, intimidation physique) en tant qu'adulte, et même d'aller plus loin dans cette direction. Les recherches révèlent que les jeunes intimidateurs peuvent aggraver leur cas en vieillissant et passer au harcèlement sexuel, à la délinquance, aux activités illicites de gangs de rue et à la violence conjugale, d'où l'importance de les encadrer le plus rapidement possible.

**Les psy-trucs**

1. Adopter une attitude ferme : l'intimidation, c'est tolérance zéro.
2. Ne pas confondre les chicanes d'enfants avec de l'intimidation. L'intimidation est une forme de violence, verbale ou physique, présente sur une *base constante et répétitive*.
3. Ne pas banaliser ni sous-estimer les conséquences, parfois à long terme, de l'intimidation sur notre enfant.
4. Être vigilant si notre enfant mentionne qu'il n'a pas d'amis, qu'il est toujours seul dans la cour d'école, que des jeunes de l'école l'embêtent, ou s'il manifeste certains changements de comportement.
5. S'il y a intimidation, soutenir notre enfant et rassembler le plus de renseignements possible afin d'entreprendre les démarches qui s'imposent avec la direction de l'école.
6. Faire un suivi auprès du personnel de l'école et de notre enfant pour s'assurer que tout est bien terminé.
7. Ne pas hésiter à faire appel à une aide professionnelle pour donner à notre enfant des moyens de s'affirmer, de prendre sa place, de « se défendre », de se prémunir contre le harcèlement et l'intimidation.
8. Aider notre enfant à développer son estime de soi et ses habiletés sociales afin qu'il puisse se faire des amis. Les amis sont bien souvent une mesure de protection efficace contre l'intimidation.

# Il défie notre autorité !

## La discipline

*Les questions que tout parent se pose :*

* **Pourquoi la discipline est-elle importante à la maison ?**
* **Comment faire respecter les règles ?**
* **Est-ce que tous les jeunes s'opposent aux règles ?**
* **Est-ce normal de devoir répéter les consignes ?**
* **Quand dois-je intervenir ?**
* **Quelles méthodes d'intervention dois-je privilégier ?**
* **Comment faire comprendre à mon préadolescent que je désapprouve son comportement ?**
* **Quelles méthodes d'intervention sont à éviter ?**

Les parents de Samuel, 11 ans, éprouvent de plus en plus de difficulté à se faire obéir de leur fils et ont parfois l'impression de « perdre le contrôle ». Leur jeune se rebelle de plus en plus, s'oppose constamment à eux et a tendance à ne plus respecter certaines règles, pourtant bien établies à la maison. Ils constatent, comme de nombreux parents, qu'il n'est pas toujours facile de discipliner un préadolescent.

### Pourquoi la discipline est-elle importante à la maison ?

Nos enfants sont des êtres en construction, et la discipline permet de leur montrer ce qui est acceptable dans la famille ou dans la société, et ce qui ne l'est pas. La discipline, c'est l'enseignement des règles de base et des valeurs que l'on prône. Puisqu'il s'agit d'un apprentissage, il est normal que notre jeune confronte notre autorité, surtout à l'âge de la puberté et de l'adolescence.

Il est important de bien faire la différence entre répression et discipline, particulièrement auprès des jeunes de ce groupe d'âge. Alors que la répression consiste à empêcher toute manifestation d'opposition et se limite à critiquer, à blâmer, à punir, la discipline, elle, consiste plutôt à *enseigner* des règles. Pendant la préadolescence, il est essentiel d'enseigner à l'enfant que ses gestes et ses choix ont des conséquences inévitables.

Nous désirons évidemment ce qu'il y a de mieux pour nos jeunes et, surtout, nous voulons qu'ils grandissent sans être brimés dans leur épanouissement et en se sentant aimés. Mais les parents, qui ont à cœur leur bonheur, comprendront que leur développement passe également par l'éducation, qui inclut l'apprentissage des règles et des limites, et qui nécessite un minimum d'encadrement. Nous devons donc assurer cette discipline et imposer, au quotidien, nos règles et nos limites avec constance et fermeté. C'est un des rôles parentaux les plus importants, mais probablement le plus exigeant et le plus difficile à assumer avec régularité.

Toutefois, la discipline doit évoluer dans le temps, en fonction de l'âge de nos enfants. Le préadolescent n'a pas besoin du même encadrement qu'un enfant de 6 ans. Déjà, il est en mesure de savoir ce qui est bien ou mal et de prévenir certains dangers.

## Pas facile de maintenir la discipline avec nos préadolescents !

Certains parents n'osent pas dire non par peur de ne pas être aimés de leurs enfants, de les « brimer » dans leur épanouissement, d'être trop sévères, ou simplement parce qu'ils veulent éviter les argumentations ou les crises.

D'autres veulent être les « amis » de leurs jeunes. Ils se placent au même niveau qu'eux et perdent ainsi inévitablement une partie de leur autorité parentale. Or, les jeunes ne veulent pas que vous soyez leurs amis ; ils veulent des parents solides qui les encadrent, les soutiennent et leur indiquent la voie à suivre.

D'autres parents laisseront tomber la discipline par manque de temps, préférant faire comme s'ils n'avaient rien vu ni entendu. Cette attitude peut malheureusement avoir des effets néfastes à long terme. Ils risquent, un jour ou l'autre, de perdre le contrôle et d'être exaspérés par les comportements indésirables de leurs jeunes qui entament leur adolescence. Il sera alors plus difficile d'imposer un encadrement et de nouvelles limites sans une réaction excessive de la part des jeunes, ou sans que ceux-ci soient un peu confus devant ce changement d'attitude ou ce soudain acharnement des parents.

Bref, discipliner notre enfant n'est pas toujours facile. Les préadolescents sont connus pour leur humeur changeante et pour leur comportement imprévisible. La discipline que nous leur inculquons les aidera à mieux gérer leurs émotions et à vivre plus facilement avec les règles de vie applicables à la maison et dans la société en général.

## Comment faire respecter les règles ?

Bien que nous soyons tous d'accord avec l'importance d'imposer des limites à notre jeune et de lui enseigner les bonnes règles de conduite, l'application de cette discipline, avec efficacité et constance, peut s'avérer très ardue dans la réalité de tous les jours. En fait, tout est question d'équilibre (entre ce qui est toléré et ce qui ne l'est pas) et de dosage (concernant notre façon d'appliquer la discipline).

Des règles trop rigides et imposées dans un climat constamment négatif (en se montrant irrespectueux envers le jeune, en le dénigrant ou même en manifestant de la violence verbale ou physique envers lui) peuvent nuire à l'épanouissement de notre préadolescent, le brimer et sérieusement hypothéquer son estime de soi.

Or, un manque de discipline ou d'encadrement risque de lui nuire tout autant. D'ailleurs, les jeunes à qui on n'a jamais dit non perdent leurs repères, ignorent quelles sont les limites acceptables et vivent difficilement le fait qu'on refuse parfois leurs demandes (même une fois qu'ils sont devenus adultes). Certains d'entre eux ont de la difficulté à être sociables.

Voici des éléments à considérer dans l'application de la discipline :

* Mettez-vous d'accord entre parents sur les consignes à faire respecter.
* Assurez-vous que les règles sont adaptées à l'âge de votre préadolescent.
* Limitez le nombre de règles (il est difficile de respecter un grand nombre de règles sans faillir).
* N'hésitez pas à rappeler les consignes ; la répétition est inévitable !

Une autorité parentale trop rigide à la préadolescence (et pire encore à l'adolescence !) mène à une impasse. Autant il faut être ferme sur certaines choses non négociables, autant il faut entamer un dialogue avec notre jeune sur les questions qui touchent le quotidien. N'oublions pas que nos préadolescents ont besoin de règles pour être encadrés, mais aussi de liberté pour répondre à leur besoin croissant d'affirmation de soi.

## Est-ce que tous les jeunes s'opposent aux règles ?

Tous les préadolescents ont tendance, à divers degrés, à s'opposer aux règles ou à les défier. Ces comportements d'opposition sont normaux, qu'ils soient occasionnels, soutenus, ou qu'ils surviennent sur de courtes périodes. Tous les jeunes de cet âge ressentent le besoin, à un moment ou à un autre, de se frotter à l'autorité du parent (ou aux autres figures d'autorité – intervenants de toutes sortes ou enseignants). Ce degré d'opposition et de frustration qui se bâtit chez le jeune fait partie de sa phase d'affirmation ; il contribue à définir et à construire sa propre personnalité en route vers l'adolescence.

Ces « écarts de conduite » sont généralement provoqués pour les raisons suivantes :

* par impulsivité ;
* par besoin de comprendre les raisons qui justifient une règle qu'il remet en question ;
* par besoin d'attention ;
* par besoin de confronter l'autorité ;
* par besoin de tester les limites qui lui sont imposées.

Certains jeunes veulent à tout prix obtenir l'attention de leurs parents, peu importe le moyen. D'ailleurs, nos enfants ont facilement notre attention quand ils défient nos règles, n'est-ce pas ?! Si nous oublions de les féliciter pour leurs bons comportements ou de leur donner de l'attention d'une façon agréable et positive, ils auront tendance à se comporter de manière désagréable pour recevoir notre attention... même si elle est négative !

Peu importe les raisons, nous devons prendre conscience que l'opposition de nos jeunes est normale durant cette période de leur vie. Il ne faut pas nécessairement la voir comme un affront direct envers nous. Assumons ces désaccords qui se présentent dans l'éducation de notre enfant, évitons de réagir de façon excessive et de tourner cette situation en confrontation. Prenons un peu de recul, puis intervenons avec calme : « Je comprends que tu ne sois pas d'accord, mais c'est la règle », ou « Je sais que tu es en colère, mais je maintiens ma décision... », ou encore : « Je comprends que tu aies le goût d'aller au parc, mais, tu le sais, pendant les jours de la semaine, c'est interdit. »

Il ne faut surtout pas succomber à leurs moindres désirs : n'oubliez pas, constance et fermeté ! Si le jeune comprend la consigne, qu'il constate qu'elle est claire *et qu'elle sera toujours appliquée (sans exception et sans négociation)*, il ne pourra que l'accepter et passera naturellement à autre chose. Les règles, telles que l'heure de rentrer, les sorties les soirs de semaine, le temps alloué à l'ordinateur ou aux jeux vidéo, seront donc graduellement acquises et feront partie intégrante de sa vie.

## Est-ce normal de devoir répéter les consignes ?

Voilà probablement une habitude présente chez *tous les parents* :
devoir sans cesse rappeler nos jeunes à l'ordre, leur répéter, jour après
jour, les mêmes consignes, ce qu'ils ont le droit de faire et ce qu'ils ne
peuvent pas faire. Il y a cependant une distinction entre *rappeler* régulièrement (ce qui fait partie de l'apprentissage) et *répéter* plusieurs fois
la même consigne ou demande avant d'intervenir.

Lorsqu'un parent adresse une demande claire à son enfant, il doit
éviter de négocier et de répéter sans cesse. Or, nos jeunes connaissent
nos limites et savent très bien lequel des deux parents est plus
« souple » que l'autre, et avec lequel ils peuvent se permettre d'attendre avant d'agir… alors pourquoi écouter du premier coup ? Répéter
sans cesse, c'est encourager notre jeune à prolonger sa réticence à agir
et, surtout, à ne pas écouter dès que la demande est formulée.

Quant aux règles, il faut inévitablement les rappeler à nos enfants
afin qu'ils puissent les intégrer dans leurs habitudes de vie. Cela fait
partie de leur éducation. Même après des années, nous sommes parfois étonnés de devoir rappeler à nos préadolescents certaines règles
que l'on croyait pourtant acquises. Cela fait partie de notre rôle de
parents, de « coachs » de vie ! Et puis, un beau jour, on s'aperçoit que la
routine du matin est acquise, qu'ils se brossent les dents sans qu'on ait
à leur dire de le faire, qu'ils se préparent pour le coucher sans qu'on
intervienne, qu'ils sont polis avec les gens… Notre récompense après
tant d'années de persévérance !

## Quand dois-je intervenir ?

Nous voulons tous que nos jeunes soient bien éduqués, mais en même
temps, nous ne voulons pas tomber dans le piège du parent-policier
pour qui les seules interventions se limitent à des interdits ou à des
réprimandes. Le défi à relever pour tout parent, c'est de trouver le juste
équilibre.

Comment y arriver ? Je vous suggère ce qui suit :

* commencez par faire respecter les règles de base de la vie de famille, celles qui sont *non négociables* : l'heure du coucher, la politesse, les tâches ménagères, etc. ;

* identifiez ensuite les comportements qui dérangent le plus, qui affectent le plus négativement la vie familiale ou ceux qui vont à l'encontre de vos valeurs ou des règles en société. Un jeune qui est impoli devrait donc être repris puisque ce comportement ne sera pas toléré dans la famille, à l'école et dans la société en général. Par contre, l'heure du coucher peut varier d'une famille à l'autre (selon nos règles de vie ou nos critères personnels).

Trop souvent, les parents tolèrent longtemps un comportement qu'ils désapprouvent, répètent à maintes reprises les consignes ou négocient interminablement, pour finalement exploser et appliquer des conséquences de façon inappropriée et dans un état colérique qui n'est pas souhaitable. Mieux vaut éviter ces situations et intervenir dès la première occasion.

Les préadolescents sont reconnus pour leur humeur changeante. On peut facilement le comprendre, avec tous les changements que ce passage comporte. Par contre, il faut leur enseigner à contrôler leur colère et, surtout, à ne pas la diriger contre nous, les parents !

La discipline concerne aussi les tâches ménagères. Enseigner à notre jeune à effectuer ses tâches, c'est lui enseigner le sens des responsabilités, le sens des initiatives et, encore une fois, le mener vers l'autodiscipline (être capable de se prendre en main).

## Quelles méthodes d'intervention dois-je privilégier ?

Pour assurer le respect des règles et de la discipline, il faut non seulement faire preuve de constance et de fermeté dans leur application, mais également savoir *intervenir adéquatement*. Nos interventions auprès de nos jeunes doivent donc être appropriées selon les circonstances, et doivent respecter leur développement et leur estime de soi. Comme il existe différentes philosophies en ce qui a trait à l'éducation et à l'autorité, bien des parents se demandent si leur façon de faire avec leurs jeunes est la bonne. Voici quelques exemples de méthodes d'intervention.

### La créativité et la bonne humeur

L'utilisation du sens de l'humour pour faire respecter certaines règles ou directives est très efficace, car cela permet de les intégrer dans un climat positif. Les taquineries, les clins d'œil et les sourires désamorcent bien des situations tendues. Ils deviennent des alliés importants pour motiver notre jeune à respecter la règle ou pour modifier son comportement, et ce, dans un climat harmonieux.

Grâce à cette approche, la situation problématique est vite replacée. Cela nous évite de devoir faire appel systématiquement aux conséquences, qui nous demandent certainement beaucoup plus d'énergie en tant que parents et qui pourraient être réservées aux récidives.

### Le calme

En cas d'excitation intense, de colère ou de crise, il faut rester calme et éviter de hausser le ton (pour ne pas en faire une source de confrontation). Notre propre calme aura un effet apaisant sur notre jeune, ce qui favorisera son écoute et, par la suite, sa collaboration.

### Le renforcement positif

Faire du renforcement positif consiste à mettre l'accent sur les bons coups ou les bons comportements de notre jeune. En l'encourageant, nous lui donnons une attention positive qu'il voudra recevoir de nouveau. C'est également une source de motivation qui l'incitera à respecter les règles et à adopter les comportements désirés. Cette méthode d'intervention positive nourrit particulièrement l'estime de soi de notre préadolescent.

> *« Wow ! Tu as vidé le lave-vaisselle... Merci ! »*
>
> *« Félicitations ! tu as fait tes devoirs en rentrant de l'école ! »*
>
> Bien souvent, les jeunes ont davantage l'attention de leurs parents quand ils dérogent aux règles. Leur besoin d'attention est si fort qu'ils préfèrent en avoir de façon négative que pas du tout. Il est donc important d'être attentif à nos jeunes et de les encourager, de les féliciter, bref, de leur donner de l'attention *positive* le plus souvent possible afin de réduire les comportements qui les amènent à défier l'autorité.

## Les règles de famille

Les préadolescents sont prêts à plus d'indépendance. Lorsque votre jeune réclame plus de liberté ou de « marge de manœuvre », prenez le temps de vous asseoir avec lui et d'en discuter ouvertement. S'il exprime, par exemple, le désir de ne pas faire ses devoirs dès son arrivée de l'école, tentez de vous montrer conciliant et proposez une solution de remplacement : après le repas ? En lui accordant un certain contrôle sur la situation, vous l'aidez à se responsabiliser, vous reconnaissez qu'il grandit et qu'il a droit à son opinion. Vous lui envoyez le message que vous lui faites confiance, et cela fera en sorte qu'il modifiera progressivement son attitude, s'il y a lieu.

## Comment faire comprendre à mon préadolescent que je désapprouve son comportement ?

Notre façon de réagir et de faire comprendre à notre jeune que nous désapprouvons son comportement a toute son importance. Je vous suggère quelques méthodes qui ont fait leurs preuves.

### La réflexion

Lorsque notre enfant ne respecte pas les règles, nous pouvons le mettre en retrait pour un temps *limité* afin qu'il puisse se calmer. Attention toutefois de ne pas l'humilier ! Donc, les retraits dans un coin (face au mur) ou à genoux ne sont pas souhaitables.

Le retrait dans sa chambre est aussi à proscrire. Cette pièce doit rester pour lui un endroit où il fait bon se retrouver. Qui plus est, si vous habituez votre jeune à s'isoler dans sa chambre lorsque quelque chose ne va pas, ne soyez pas surpris qu'il garde cette malheureuse habitude à l'adolescence !

### Le retrait d'un privilège

Nous pouvons retirer un privilège à notre enfant, pour autant que cette privation soit limitée dans le temps. Par exemple, évitez de lui retirer le droit de regarder la télévision pendant deux jours ou d'utiliser son vélo durant une semaine.

Autre point important : les retraits de privilèges ne devraient jamais être des punitions affectives. Donc, ne privez pas votre enfant de moments affectifs bénéfiques – par exemple, la visite chez grand-maman, une joute de hockey avec vous, un jeu de société ou une sortie en famille – pour lui faire savoir que vous désapprouvez son comportement. Ces moments permettent normalement d'établir une belle relation avec notre jeune et renforcent notre complicité avec lui.

### La réparation

La réparation est une conséquence directement liée au geste commis : ramasser son dégât, ranger les livres qui traînent, rendre un service à son frère... Lorsque la réparation est complétée, la conséquence est terminée et on passe à autre chose.

Cette réparation permet au jeune de corriger le tir de façon positive tout en préservant son estime. Le message qu'on envoie à l'enfant est le suivant : « Tu as fait une erreur (*ce qui est normal puisqu'il est en apprentissage*). Maintenant tu la corriges et tu essaies de ne plus la refaire. »

*Les conséquences*

Quand un jeune ne collabore pas, les parents doivent absolument l'informer de la conséquence qui l'attend et l'appliquer s'il ne se conforme toujours pas aux règles. Par exemple : « Si ta chambre n'est pas faite avant que tu partes pour l'école, il y aura une conséquence : pas de télévision pour toi ce soir ! »

Si les parents n'appliquent pas la conséquence annoncée, ils risquent de perdre leur crédibilité et le respect de leur autorité. De plus, le préadolescent, qui a détecté cette faiblesse, sera tenté de désobéir de nouveau.

Vous devez toujours prévenir votre enfant des conséquences auxquelles il s'expose s'il ne respecte pas ce que vous lui demandez. Dans la mesure du possible, choisissez des conséquences logiques, réalistes et de courte durée (jamais plus de deux jours), par exemple :

* priver votre jeune de l'ordinateur pour la soirée ;
* lui interdire d'écouter son émission préférée ou le priver de la télévision pour la soirée ou pour une demi-journée de fin semaine ;
* lui demander de se coucher plus tôt que d'habitude ;
* ajouter des tâches ménagères à celles qu'il fait déjà ;
* le priver de clavardage avec ses amis pour la journée ;
* lui interdire pendant toute une fin de semaine d'aller chez ses amis.

Il est à noter que nous devons éviter d'utiliser *abusivement* des conséquences sans quoi elles vont perdre leur effet et peut-être même affecter l'estime de soi de notre jeune. Nous devons donc donner à nos enfants une certaine marge de manœuvre adaptée à leur groupe d'âge et à leur niveau d'autonomie. Si nous intervenons à l'excès, notre préado risque de « s'immuniser » contre nos interventions, qui auront de moins en moins d'impact. Quand un parent témoigne de ce que, peu importe les conséquences prévues, son enfant « s'en balance », il y a de quoi s'interroger : soit ce dernier manifeste trop d'opposition, soit il reçoit trop de punitions par rapport aux valorisations qu'on lui porte.

*La permission de vivre ses propres erreurs*

Il est parfois pertinent de ne pas intervenir et de laisser notre préadolescent faire ses propres erreurs. Par exemple, le laisser décider de partir sans son imperméable alors qu'on annonce de la pluie peut être très
formateur: il retiendra à coup sûr la leçon en cas de pluie! Surtout, ne
lui faites pas la morale: «Je te l'avais dit...» Personne n'aime entendre
ce genre de propos, même nous!

## Quelles méthodes d'intervention sont à éviter?

Certains types de conséquences sont totalement déconseillés pour le
bien-être de notre jeune. Voici les principales:

*Le dénigrement (violence verbale)*

Des règles imposées dans un climat constamment négatif peuvent
sérieusement hypothéquer l'estime de soi. Il faut absolument éviter les
insultes ou les commentaires dégradants qui, même dits sans agressivité ou méchanceté volontaire, finissent par donner l'impression à
notre jeune qu'il est une mauvaise personne – alors que ce n'est que
son comportement qui est inadéquat.

On a parfois l'impression, en tant que parents, que cette méthode
a plus d'impact: la provocation le poussera à vouloir changer. IL N'EN
EST RIEN! Au contraire, cela peut parfois accentuer le comportement
non désiré.

Dans toutes nos interventions, il est important de faire sentir à
notre préadolescent que ce n'est pas lui en tant que personne que nous
remettons en cause, *mais son comportement*.

Veillons également à ne pas le réprimander devant les autres,
parce que c'est très humiliant. Qui plus est, cela amplifiera son désir de
s'opposer.

*La répétition incessante*

*Ne répétez pas* sans cesse la *même* demande. Nos jeunes connaissent nos
limites et savent combien de fois ils peuvent nous faire répéter avant de

nous écouter. Redire sans cesse, c'est encourager notre jeune à prolonger sa résistance et, surtout, à ne pas obéir dès la première demande.

### Les menaces

Après les multiples répétitions arrivent souvent les menaces : « Je t'avertis, si tu ne viens pas ranger tes jeux vidéo, je vais les vendre ! », « Je te préviens, si tu ne fais pas ton lit immédiatement, tu n'auras plus le droit de jouer à l'ordinateur pendant *un mois* ! », « Si tu ne fais pas ce que je te demande sur-le-champ, tu ne viendras pas en vacances avec nous ». Ces menaces évoquent souvent des conséquences excessives et, par conséquent, elles sont rarement appliquées. Le jeune percevra facilement que ce type de menace n'est que cela, une menace... qui ne lui sera jamais imposée car elle est irréaliste, voire farfelue.

Encore une fois, c'est votre crédibilité en tant que parent qui est en cause lorsque vous annoncez des punitions exagérées.

### Les corrections physiques

Bien que la fessée ou la violence physique soit une pratique de plus en plus considérée comme archaïque, bien des parents se laissent emporter par cette claque « qui est partie toute seule » ou ont parfois le goût d'utiliser ce moyen lorsque la situation leur semble être devenue hors de contrôle. Devant un comportement inadmissible ou dérangeant du jeune, certains parents sont vraiment exaspérés, ils ne savent plus comment réagir ou intervenir, se sentent impuissants et finissent par céder à la colère et à la gifle. Bien que leurs sentiments soient compréhensibles, leur geste, lui, demeure injustifié.

La gifle représente une *perte de contrôle du parent* ou une intervention ultime à laquelle il a recours à cause d'un manque de moyens d'intervention. Elle est souvent utilisée en réaction à une marque d'impolitesse de la part du préadolescent, ou comme « moyen » de communiquer (inefficacement) au jeune son désaccord (les parents ont parfois l'impression que c'est la seule façon de se faire comprendre).

*La gifle représente un geste très humiliant pour le jeune ; elle porte directement atteinte à son estime de soi* tout en brisant le lien de respect et de confiance avec le parent. Cette technique de punition peut parfois donner des résultats immédiats, mais ce n'est qu'à très court terme.

### Les explications excessives

Évitez de tomber dans des explications excessives. Expliquez concrètement ce que vous attendez de votre enfant sans entrer dans des discussions interminables et *sans faire la morale*. Les jeunes aiment savoir clairement ce que l'on attend d'eux, puis passer à autre chose.

### L'indifférence et la banalisation

Il est tout à fait contre-indiqué d'ignorer ou de banaliser les gestes ou les attitudes indésirables de notre jeune (afin d'éviter d'intervenir). Certains parents ont tendance à avoir cette réaction, entre autres devant un public. Se sentant mal à l'aise, ils tentent d'atténuer l'effet en riant nerveusement ou en faisant comme si de rien n'était. Bien qu'il soit effectivement conseillé de ne pas intervenir devant des gens, il est fortement souhaitable d'amener son jeune en retrait pour lui faire connaître votre point de vue.

Ne démissionnez pas et ne laissez pas tomber votre demande ou votre consigne par manque d'énergie (de temps) ou simplement dans le but d'éviter les conflits.

### Les critiques répétitives

Les critiques abusives empêchent notre jeune de prendre confiance en lui. Les parents exigeants qui reprennent sans cesse leur enfant finissent par le décourager, par l'amener à douter de lui. « Arrête de parler de cette façon », « Comme d'habitude, tu as laissé traîner tes souliers », « Tu n'es jamais à tes affaires, tu as encore oublié ta feuille à faire signer », « Veux-tu bien accélérer, tu vas encore être en retard ! ». Naturellement, vous comprenez que ces critiques nuisent au développement de l'enfant, d'autant plus si elles sont lancées en public ou devant la famille.

La discipline représente probablement le plus grand défi à relever pour les parents, et c'est un défi qui demande patience et persévérance, surtout à la préadolescence. Les résultats en valent cependant la peine puisqu'il sera encore plus facile de la faire respecter à l'adolescence. Nous sommes tous conscients du fait que cette discipline, si elle est bien appliquée et respectée, fera en sorte que nos jeunes se comporteront adéquatement dans notre famille, mais aussi en société.

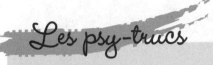

## Les psy-trucs

1. Prendre conscience de ce qu'une bonne discipline ainsi que des règles et des limites claires sont essentielles au bon développement de notre jeune, et ce, peu importe son groupe d'âge.

2. Établir des règles adaptées à l'âge de notre préadolescent.

3. Appliquer les règles avec constance, au quotidien (ne pas interdire une chose un jour et la tolérer le suivant).

4. Accepter le fait qu'il soit normal que notre préado défie occasionnellement les règles ou qu'il s'oppose à nos demandes, mais ne pas succomber pour autant...

5. Ne pas répéter plusieurs fois une demande avant d'intervenir.

6. Informer notre jeune des conséquences qu'il encourt s'il ne respecte pas les consignes et appliquer ces conséquences, s'il y a lieu.

7. Accepter de revoir les règles de temps à autre lorsque notre jeune manifeste haut et fort son désaccord. En discuter avec lui et tenter de trouver un compromis acceptable.

8. Éviter les punitions telles que l'isolement, les corrections physiques ou affectives et l'humiliation.

9. Ne pas abuser des conséquences : elles perdront l'effet souhaité et nuiront à l'estime de soi de l'enfant.

10. Faire du renforcement positif : féliciter notre préado pour ses bons comportements et ses bonnes actions.

# Le déficit d'attention
# et l'hyperactivité
# à la préadolescence

*Les questions que tout parent se pose :*

* Qu'est-ce que le déficit d'attention ?
* Qu'est-ce que l'hyperactivité ?
* Quelles sont les causes du TDAH ? Est-ce héréditaire ?
* Quels sont les signes et les symptômes du TDAH ?
* Quelles sont les conséquences du TDAH ?
* Comment pose-t-on le diagnostic ?
* Comment puis-je aider mon préadolescent aux prises avec ce trouble ?
* Quel est le rôle de la médication et quels sont ses effets ?
* Le TDAH sera-t-il encore présent à l'adolescence ?

Christophe, qui est âgé de 11 ans, a énormément de difficulté à demeurer en place. Il bouge sans arrêt, se tortille sur sa chaise et parle rapidement. Il est impulsif et dérange souvent la classe. Gabrielle, qui vient d'avoir 12 ans, est calme et ne manifeste aucun problème de comportement particulier, mais depuis son entrée au secondaire, elle éprouve de plus en plus de difficulté à suivre en classe et n'arrive pas à maintenir sa concentration. Bien que ces deux jeunes aient des comportements très différents, ils souffrent peut-être du même trouble : le déficit d'attention.

## Qu'est-ce que le déficit d'attention?

Le déficit de l'attention est généralement désigné sous le sigle TDAH (trouble du déficit d'attention, avec ou sans hyperactivité). C'est un problème neurologique qui se manifeste dès l'enfance et qui comporte au moins deux des caractéristiques suivantes:

1. inattention (problème de concentration);
2. impulsivité;
3. hyperactivité.

Ces comportements (que l'on peut retrouver également chez les adolescents et les adultes) doivent être présents de *façon marquée et prolongée* (sur une période minimale de trois mois) pour être associés à un TDAH.

Selon les experts, ce trouble a toujours existé. Cela expliquerait les difficultés scolaires de bien des personnes de générations précédentes qui, pourtant, avaient le potentiel intellectuel pour réussir. On sait aujourd'hui que le TDAH touche environ 5 % des enfants, dont quatre fois plus de garçons que de filles. D'ailleurs, le trouble est plus difficile à diagnostiquer chez les filles puisque leur déficit d'attention n'est généralement pas accompagné d'hyperactivité (ou elle est très légère).

Même si les signes du TDAH sont souvent apparents chez les enfants de 4 à 6 ans (les symptômes deviennent plus évidents lorsqu'ils commencent l'école), il est fréquent d'en faire le diagnostic plus tardivement, même à la préadolescence. Les exigences scolaires qui augmentent, combinées avec la transition du primaire au secondaire et toutes les adaptations que cela implique, peuvent entraîner des difficultés chez les jeunes atteints d'un déficit d'attention. Il est à noter que les risques d'échec scolaire sont trois fois plus élevés chez les enfants atteints d'un TDAH, d'où l'importance d'en faire le dépistage le plus rapidement possible.

### Qu'est-ce que l'hyperactivité?

Un hyperactif est un enfant qui a tout d'abord un trouble du déficit d'attention *avec* une agitation motrice excessive et incontrôlable.

L'hyperactivité est donc une des différentes manifestations du trouble du déficit d'attention. Certains jeunes souffrant de ce déficit présentent peu ou pas de signes d'hyperactivité : ils sont plutôt calmes, lunatiques, perdent ou oublient leurs effets scolaires et sont incapables de maintenir leur concentration très longtemps. D'autres jeunes auront des problèmes d'agitation très importants *en plus* des difficultés de concentration.

Il faut toutefois rester prudent et éviter de voir des hyperactifs partout! Un jeune agité ou turbulent n'est pas nécessairement hyperactif. Le TDAH n'a rien à voir avec des épisodes passagers d'agitation, de crises ou d'opposition, si fréquents chez la plupart des préadolescents. Un jeune hyperactif a non seulement des problèmes d'agitation excessive, *mais présente également des problèmes de concentration et d'impulsivité qui caractérisent le déficit d'attention.*

### Quelles sont les causes du TDAH? Est-ce héréditaire?

Le TDAH n'est pas attribuable à l'éducation reçue ni à un quelconque manque d'attention de la part des parents alors que l'enfant était en bas âge. C'est plutôt un trouble neurologique, causé par une déficience des neurotransmetteurs du cerveau qui affecte certaines zones responsables de la concentration, du sens de l'organisation et du contrôle des mouvements.

Bien que ce déséquilibre chimique puisse être causé ou amplifié par certains problèmes lors de la grossesse (drogue ou abus d'alcool, manque d'oxygène au fœtus, prématurité), il serait hautement héréditaire. En effet, chez plus de la moitié des jeunes ayant un TDAH, au moins un des parents souffre ou a souffert du même trouble ; c'est d'ailleurs souvent en prenant conscience des symptômes du déficit d'attention de leur enfant que bien des adultes réalisent qu'ils en ont eux-mêmes été atteints!

## Quels sont les signes et les symptômes du TDAH ?

Il est difficile de repérer les signes de déficit d'attention ou d'hyperactivité de notre jeune avant l'âge scolaire, puisqu'en bas âge, nous voyons généralement leur vivacité de façon relativement positive. Ils sont perçus comme des enfants dynamiques, pleins d'énergie, « allumés » ou vifs d'esprit, ou comme des enfants plus tranquilles ou lunatiques et dont les oublis sont facilement attribués à leur jeune âge. Bref, nous réussissons à prendre le dessus et à gérer à peu près le problème !

Ce type de comportement devient toutefois plus problématique de 9 à 12 ans. Le degré de difficulté des lectures et des matières enseignées, les exigences plus élevées de même que la complexité des travaux nécessitent une plus grande concentration, ce qui fait que le jeune atteint de ce déficit n'est plus en mesure de suivre le rythme. C'est alors que les vrais soucis commencent : ses résultats scolaires baissent, souvent de façon draconienne, il a des problèmes avec les amis à l'école, perturbe le fonctionnement de la classe, éprouve des difficultés à faire ses devoirs... Ce sont là des situations qui doivent nous faire réagir comme parents.

On peut se douter que notre enfant souffre d'un TDAH quand il présente certains signes particuliers. Par exemple, il :

* est incapable de rester concentré ;
* est facilement distrait ;
* perd ou oublie fréquemment ses choses ;
* a du mal à se concentrer sur les détails et fait souvent des fautes d'inattention ;
* passe sans cesse d'une activité à l'autre, ne termine rien de ce qu'il entreprend ;
* semble toujours dans la lune ;
* bouge toujours, ne tient pas en place, change constamment de position (devant la télévision par exemple), se tortille, remue souvent une jambe, les doigts, etc. ;
* est incapable de rester assis longtemps ;

* éprouve de la difficulté à se mettre au travail (devoirs, travaux);
* manifeste une faible tolérance à l'ennui;
* est imprudent, inconscient du danger ou des risques (par exemple, il sort de la voiture sans s'assurer que la voie est libre);
* peut difficilement attendre son tour;
* respecte peu les règles;
* évite les activités qui demandent un effort soutenu;
* éprouve de la difficulté à jouer tranquillement;
* réagit avec impulsivité et parfois avec agressivité (crises);
* est impatient, facilement irrité ou frustré pour des riens.

Lorsque ces comportements sont présents depuis longtemps, lorsqu'ils se manifestent non seulement à l'école mais aussi à la maison et lorsqu'ils ont un impact négatif sur les habiletés sociales ou scolaires de notre jeune, il est préférable de consulter un médecin afin de vérifier s'il souffre d'un déficit d'attention ou d'hyperactivité.

## Quelles sont les conséquences du TDAH ?

Les jeunes hyperactifs éprouvent parfois de la difficulté à s'intégrer socialement et à se faire des amis ou à les garder. Leur impatience et leur impulsivité peuvent leur jouer des tours : ils ont de la difficulté à arrêter de parler, coupent la parole aux autres, ont peine à se concentrer sur les préoccupations de leurs camarades et ne sont pas attentifs à leurs besoins, éprouvent de la difficulté à suivre les règles ou à attendre leur tour dans les jeux ou les activités. Bref, ils sont malhabiles socialement et donnent parfois l'impression d'être immatures. Résultats : ces jeunes sont souvent victimes de rejet et ne sont pas les bienvenus dans les travaux d'équipe ou dans la cour d'école.

Un trouble du déficit d'attention rend aussi le préadolescent vulnérable sur le plan scolaire : il sera obligé de mettre les bouchées doubles pour suivre en classe et aura évidemment de la difficulté à fournir les efforts requis pour se concentrer sur ses travaux. Les difficultés scolaires sont presque inévitables s'il n'est pas pris en main.

L'attention et la concentration sont les éléments essentiels à l'apprentissage et, sans eux, il est bien difficile de recevoir, de traiter, de comprendre et de mémoriser toute l'information reçue. Ces difficultés amènent inévitablement des retards, qui s'accumuleront, pouvant entraîner progressivement l'élève vers l'échec scolaire.

Les jeunes atteints d'un TDAH ont de la difficulté à rester longtemps concentrés sur quelque chose et ont tendance à passer sans cesse d'une activité à l'autre, sans terminer ce qu'ils entreprennent. Ces comportements sont malheureusement trop souvent perçus comme un manque de volonté ou d'intérêt, comme une attitude nonchalante ou même comme un signe de paresse. Les jeunes ont aussi énormément de difficulté à fournir les efforts supplémentaires pour faire leurs devoirs et leurs leçons le soir venu, au grand désespoir de bien des parents à bout de souffle, d'énergie et de patience. S'ensuivent alors les crises, les pleurs, les réprimandes et les jugements...

Voilà des situations éprouvantes pour un jeune, surtout si elles sont vécues à répétition. À force de vivre des difficultés scolaires et d'affronter constamment les jugements ou les réprimandes, il risque de développer une mauvaise image de lui-même et un sentiment d'incompétence, c'est-à-dire la perception qu'il n'est pas bon et qu'il ne peut pas réussir ce qu'il entreprend. Les risques de se retrouver dans une situation précaire au secondaire sont augmentés si le TDAH n'est pas pris en main assez rapidement. C'est pourquoi il vaut mieux consulter le plus tôt possible afin d'avoir le bon diagnostic.

## Comment pose-t-on le diagnostic?

Évidemment, ce n'est pas parce que notre jeune a la bougeotte, qu'il ne tient pas en place et est quelque peu turbulent en classe qu'il souffre d'hyperactivité pour autant! Si ces comportements entraînent par contre des difficultés sociales ou scolaires, alors une consultation s'avère nécessaire.

Malheureusement, aucun test médical ou psychologique ne permet, à lui seul, de poser le diagnostic de trouble de déficit d'attention, avec ou sans hyperactivité. C'est pourquoi il est nécessaire de faire appel à différents professionnels, tels que médecins, psychologues ou pédopsychiatres, qui prendront toutes les mesures nécessaires pour faire une *évaluation claire et précise*.

Dans le processus d'évaluation du TDAH, il est important de préciser que c'est le médecin traitant qui émettra le diagnostic final, basé sur les différentes évaluations et observations de tous les professionnels consultés. Une telle évaluation commence d'abord par certains tests médicaux, qui nous permettront de nous assurer que les symptômes ne sont pas attribuables à d'autres causes. Les cas de troubles de la vue ou de l'audition, de problèmes de thyroïde ou d'épilepsie peuvent en effet présenter certains symptômes similaires à l'hyperactivité. En observant attentivement le jeune, en évaluant ses capacités, son langage, ses performances et en le soumettant à un test de QI (quotient intellectuel), il sera possible d'éliminer toutes les causes secondaires ou extérieures qui pourraient expliquer son agitation. L'enfant est peut-être turbulent parce qu'il est dépressif, parce qu'il vient de vivre une séparation ou un deuil, parce qu'il est victime d'intimidation, parce qu'il a un QI inférieur à la moyenne ou parce qu'il souffre d'un trouble d'apprentissage et ne comprend pas ce qu'on lui demande!

Une fois toutes ces possibilités éliminées, les différents spécialistes pourront entreprendre l'évaluation du TDAH. Pour établir qu'un jeune est atteint d'un déficit d'attention, il faut que soient respectés des critères précis et définis par certaines classifications internationalement reconnues, notamment celle du DSM-IV (*Manuel diagnostique et statistique des troubles mentaux*, quatrième édition). Plusieurs tests psychométriques et des questionnaires (tel le Conner) seront donc utilisés afin de recueillir des données ainsi que le maximum d'informations de la part de la famille et/ou de l'enseignant. Une analyse de toutes ces réponses et des résultats permettront de définir si l'enfant présente un ou plusieurs symptômes du TDAH.

Compte tenu des étapes du processus d'évaluation, on ne peut pas établir un diagnostic de TDAH en une seule rencontre. Cet exercice nécessite plusieurs consultations avec divers intervenants (parents, enseignants, psychologues et médecins). Il faut prendre en considération un ensemble de données liées non seulement à l'enfant, mais aussi à son milieu de vie.

## Comment puis-je aider mon préadolescent aux prises avec ce trouble ?

Le diagnostic du TDAH chez l'enfant affecte bien souvent les parents. C'est une nouvelle qui, on le comprend, provoque plein d'émotions : tristesse, déception, culpabilité, crainte pour l'avenir de leur jeune, entre autres. La première chose à faire comme parents, c'est d'*accepter* la nouvelle. Certains devront se libérer de leur sentiment de honte et laisser leur fierté parentale de côté (l'image du parent et de l'enfant parfaits) ; d'autres devront se défaire de leurs possibles sentiments de culpabilité et comprendre que leur enfant est *né* avec cette problématique.

*Comment réagir ?*
En mettant en place, le plus rapidement possible, un plan d'intervention adapté aux besoins de son enfant afin qu'il ait toutes les chances d'évoluer avec les jeunes de son groupe d'âge.

*Pourquoi intervenir ?*
Parce qu'un enfant qui n'est pas traité pour un trouble du déficit d'attention court un risque beaucoup plus grand de vivre des expériences négatives, qui peuvent avoir des répercussions sur son estime de soi et sa confiance en soi, et ce, pour le reste de sa vie.

Ce dernier énoncé est prouvé statistiquement : les jeunes atteints d'un TDAH qui n'est pas traité présentent beaucoup plus de risques que les autres d'éprouver des échecs scolaires, de manifester des comportements antisociaux (opposition, provocation, colère, obstination), de vivre des difficultés avec leurs amis et en famille (jusqu'à subir du rejet) et de développer de l'anxiété (allant même jusqu'à la déprime). De plus, si ces réactions entraînent de constantes réprimandes, des punitions ou des jugements négatifs de la part de leur entourage, comment ces jeunes réussiront-ils à préserver une bonne image d'eux-mêmes, une haute estime de soi et une confiance en leurs capacités de réussir?

Heureusement, les parents peuvent grandement aider leur préado atteint de ce trouble. Pour ce faire, je vous propose ci-dessous quelques pistes.

### Une bonne compréhension du TDAH

D'abord, vous devez comprendre ce qu'est le trouble du déficit d'attention, avec ou sans hyperactivité, en saisir les causes, les effets, les conséquences. Il est important de savoir, entre autres, que les crises, l'agressivité ou les réactions impulsives sont parfois de simples manifestations de l'hyperactivité. Les enfants atteints du TDAH ne contrôlent pas ces comportements, mais ces derniers augmentent leur taux de dopamine. L'adrénaline générée lors de ces manifestations est en effet un excellent conducteur de dopamine. Cela devient donc un moyen naturel et inconscient de répondre au déficit de cette hormone dans leur corps. Voilà qui explique pourquoi les enfants sont si calmes et apaisés après une crise de pleurs ou d'agitation. Comprendre le comportement de votre jeune devient donc le fondement de l'aide que vous pouvez lui apporter en réagissant adéquatement avec toute l'attention, la tolérance et le soutien dont il a besoin.

### La médication

Les enfants atteints du TDAH n'ont pas tous besoin de prendre un médicament. La médication est cependant recommandée pour la majorité d'entre eux, surtout chez ceux dont le trouble occasionne des difficultés comportementales, sociales ou scolaires. Ces médicaments sont des psychostimulants. Ils sont prescrits seulement par le médecin traitant et seront souvent combinés à une supervision psychologique (le sujet de la médication sera abordé plus en détail dans la section suivante).

*L'approche alternative (psychosociale/comportementale)*
Si votre enfant est atteint d'un TDAH léger, diverses interventions peuvent aider à contrôler ses symptômes, sans que vous ayez recours à la médication. C'est le cas généralement des jeunes dont le déficit d'attention n'entraîne pas, ou entraîne peu, de difficultés scolaires ou sociales, de ceux qui ont simplement de petits troubles de comportements en classe ou en groupe, qui ont la « bougeotte » ou qui ont de la difficulté à se concentrer sur leurs devoirs sans pour autant obtenir de mauvais résultats scolaires.

Cette approche (qui peut aussi être combinée avec la médication) est généralement constituée de diverses interventions telles que le coaching parental, la rééducation du comportement (psychothérapie), les suivis en psychoéducation à l'école, l'aide éducative, notamment.

Voici quelques moyens ou trucs qui ont fait leurs preuves auprès des jeunes aux prises avec un TDAH :

✳︎ Maintenir des règles claires et simples et accepter qu'on devra rappeler souvent ces limites à l'enfant.
✳︎ Donner des explications courtes et claires.
✳︎ Établir un contact visuel durant les interventions. Lui toucher l'épaule, s'assurer qu'il nous regarde dans les yeux quand on veut obtenir son attention pour lui parler.
✳︎ Donner *une* consigne ou *une* tâche à la fois et vérifier si celle-ci a été comprise.
✳︎ Préserver son estime de soi en évitant de souligner ses erreurs. La motivation et les encouragements donnent de meilleurs résultats.

Le plan d'intervention requis pour votre jeune sera proposé par l'ensemble des professionnels impliqués (médecins, psychologues et intervenants scolaires). Ils seront en mesure de vous guider et de confirmer si la médication, entre autres, est nécessaire. Cette collaboration parents/enseignants/médecins/psychologues est à la base de la réussite du plan d'intervention.

## Quel est le rôle de la médication et quels sont ses effets ?

La médication est recommandée pour la majorité des enfants atteints d'un TDAH qui présentent des difficultés sur les plans social ou scolaire (ceux dont le quotidien est affecté). Ces médicaments, tels que le Biphentin[MD], l'AdderallXR[MD], le Concerta[MD], le Ritalin[MD] et Vivance ne sont pas, comme certains le pensent, des calmants. Il s'agit de psychostimulants qui augmentent ou améliorent la production de certains neurotransmetteurs dans le cerveau du jeune. Les neurotransmetteurs agissent comme des médiateurs chimiques dont la fonction est de transmettre les messages d'un neurone à l'autre. Ces médicaments permettent ainsi, avec succès, de minimiser les problèmes d'agitation, de concentration et d'attention chez le jeune. Leur taux d'efficacité est estimé à 90 % et leurs effets bénéfiques sont importants. Ils :

* augmentent l'attention et la concentration ;
* améliorent la vitesse et la précision ;
* améliorent la mémoire à court terme ;
* diminuent l'agitation ;
* réduisent le bavardage et les bruits ;
* améliorent la motricité fine (notamment en ce qui a trait à la calligraphie) ;
* augmentent la qualité de la lecture ;
* diminuent l'impulsivité ;
* réduisent la colère et l'agressivité.

Bref, la médication améliore globalement la concentration du jeune et lui permet de vivre davantage d'expériences positives. Chez certains, les effets bénéfiques sont impressionnants. On observe souvent une nette amélioration des résultats scolaires. Les relations avec les parents, les amis, les enseignants sont aussi beaucoup plus harmonieuses et constructives.

Les effets et le mode d'action de la plupart de ces médicaments à base de méthylphénidate (tels que le Biphentin[MD], le Concerta[MD] et le Ritalin[MD]) sont bien connus et font l'objet de recherches depuis de nombreuses années. D'ailleurs, ils sont parmi les médicaments qui ont été le plus étudiés. Ces recherches, effectuées tant aux États-Unis qu'en Europe, indiquent qu'il n'y a aucun effet secondaire significatif à long terme ; elles montrent également qu'ils n'entraînent aucune accoutumance ni dépendance et qu'ils ne favorisent pas la toxicomanie.

Ces études ont prouvé également qu'il y avait peu d'effets négatifs à court terme et que, pour la plupart des jeunes, les bénéfices étaient largement supérieurs aux effets secondaires. Parmi ceux-ci, on peut constater dans certains cas :

* une perte d'appétit (surtout au repas du midi) ;
* certains problèmes de sommeil ;
* des maux de ventre ou de tête.

Ces effets indésirables ont par contre tendance à s'atténuer avec le temps.

Pour ce qui est de la dose, elle variera évidemment d'un jeune à l'autre. Elle sera déterminée et ajustée par le médecin en collaboration avec les intervenants professionnels impliqués. La posologie sera ainsi ajustée en fonction des améliorations observées et des effets secondaires vécus par le jeune.

La médication corrige les symptômes d'un déficit d'attention, avec ou sans hyperactivité, mais elle ne le guérit pas. Toutefois, en soulageant les problèmes comportementaux, familiaux, sociaux et scolaires du jeune, elle lui permet en même temps d'améliorer son estime de soi, sa confiance en soi et la perception qu'il a de lui-même, ce qui a un effet bénéfique assuré à long terme.

## Le TDAH sera-t-il présent à l'adolescence ?

On a longtemps pensé que le trouble du déficit d'attention, avec ou sans hyperactivité, disparaissait à l'adolescence, ce qui est faux. En fait, près de 80 % des jeunes atteints du TDAH en souffrent toujours à l'adolescence et plus de la moitié garderont certains symptômes à l'âge adulte. L'agitation motrice semble vouloir s'estomper au fil des ans ou sera, du moins, contrôlée (seulement 8 % resteraient agités à l'âge adulte). Les autres symptômes, tels que les difficultés de concentration et d'organisation ou l'impulsivité, auront tendance à résister.

Chez certains adolescents et adultes, les symptômes persistants occasionneront les mêmes troubles que durant l'enfance : distraction, bougeotte des idées, procrastination, difficulté avec la notion du temps (retards), impulsivité... Ils seront parfois perçus comme des personnes impulsives, « à fleur de peau » ou ayant « la mèche courte ». Leur besoin de bouger pourrait être canalisé dans leur travail ou dans les sports, où ils pourront être perçus comme des gens très actifs ou dynamiques.

Certains symptômes peuvent continuer de leur faire vivre des difficultés sociales importantes (personnalité antisociale, agressivité, conflits avec l'entourage...). Et chez ceux qui ont vécu dans leur enfance de graves problèmes liés au déficit d'attention, dont le rejet ou les échecs successifs, les risques d'être timides, mésadaptés, de se replier sur eux-mêmes, d'être angoissés ou anxieux sont importants. Un adolescent souffrant d'un TDAH et vivant une telle situation devra recevoir une aide psychologique afin que cela ne devienne pas un handicap à l'âge adulte.

Les symptômes d'hyperactivité peuvent donc demeurer présents mais seront souvent « compensés » ou adaptés dans la vie courante de l'adolescent ou de l'adulte, qui pourront même en tirer des avantages :

les « hyperactifs » sont souvent perçus dans la société comme des individus enjoués, dynamiques, sportifs ou très actifs, des gens qui s'affirment, qui foncent et réagissent vite, qui n'ont pas peur du risque ou qui ont du leadership, des qualités souvent recherchées dans le monde du travail. D'ailleurs, on trouve beaucoup d'hyperactifs parmi les chefs d'entreprise, les hommes politiques, les animateurs télé et les comédiens...

## Les psy-trucs

1. Prendre conscience du fait qu'un jeune agité ou turbulent n'est pas nécessairement hyperactif. Peut-être vit-il une situation qui le perturbe.

2. Consulter médecins et psychologues lorsque les signes de déficit d'attention ou d'hyperactivité se manifestent. Ils pourront faire une évaluation complète et précise de la situation.

3. Prendre conscience du fait que les jeunes atteints du TDAH qui ne sont pas traités présenteront beaucoup plus de risques d'éprouver des difficultés scolaires et sociales à l'adolescence.

4. Recourir, au besoin, à diverses interventions non médicamenteuses (coaching parental, rééducation du comportement, psychothérapie, etc.) pour aider son enfant atteint d'un TDAH léger à contrôler ses symptômes.

5. Adapter les interventions : lui toucher l'épaule, s'assurer qu'il nous regarde dans les yeux quand on veut obtenir son attention pour lui parler, donner *une* consigne ou *une* tâche à la fois et vérifier que celle-ci a été comprise.

6. Préserver l'estime de soi de son enfant en évitant de souligner ses erreurs. La motivation et les encouragements donnent de meilleurs résultats.

# Peut-il « se garder » seul à la maison ?

*Les questions que tout parent se pose :*

* À quel âge mon enfant peut-il commencer
  à « se garder » seul ?
* Comment savoir si mon jeune est prêt ?
* Que faut-il mettre en place pour assurer sa sécurité ?
* Mon préadolescent peut-il garder son frère
  ou sa sœur ?

De nos jours, de nombreux enfants doivent passer du temps seuls à la maison après l'école en attendant qu'un parent revienne du boulot. Nos horaires de travail ne correspondent pas toujours à ceux de l'école, et les garderies parascolaires ou les camps de jour (pendant les vacances) sont parfois onéreux. De plus, certains préadolescents réclament haut et fort le droit de rester seuls à la maison, notamment pendant les sorties de leurs parents. Mais comment savoir si notre enfant est prêt à faire ce pas vers l'autonomie ? Pas évident pour nous d'admettre que c'est maintenant un préado et qu'il veut plus de liberté. Le temps est-il venu de le laisser seul à la maison ?

## À quel âge mon enfant peut-il commencer à « se garder » seul ?

Aucune loi n'indique l'âge minimal auquel un enfant peut demeurer seul à la maison, mais le Conseil canadien de la sécurité estime qu'un enfant de 10 ans peut passer environ une à deux heures seul à la maison, à condition qu'un adulte puisse être joint rapidement en cas de besoin. L'organisme Parents-Secours du Québec inc. recommande plutôt de donner cette responsabilité vers l'âge de 12 ans. En fait, les jeunes de 10 à 12 ans ont souvent le désir et la volonté de rester seuls à la maison ; la plupart d'entre eux ont la maturité nécessaire pour cerner les dangers éventuels et pour s'occuper d'eux-mêmes, et ils veulent plus d'autonomie.

L'âge n'est pas le seul facteur qui détermine si un enfant est capable de bien se débrouiller seul à la maison. Nous devons surtout tenir compte de sa maturité et de son degré d'autonomie, deux caractéristiques sur lesquelles nous, parents, avons certainement une grande influence. Si nous sommes hyper protecteurs, il y a peu de chances que notre enfant ait eu l'occasion de développer son sens de l'autonomie ; dans ce cas, il ne sera probablement pas prêt à vivre ces moments en solo dès la préadolescence et ne sautera pas de joie à l'idée de passer un après-midi seul ! C'est un apprentissage qui se fait progressivement... à condition qu'on veuille bien lui donner l'occasion de vivre l'expérience et qu'on évite de lui transmettre nos propres inquiétudes.

## Responsabilité parentale et garde de son enfant

Bien qu'il n'existe pas de loi concernant l'âge minimal requis pour qu'un enfant puisse « se garder » seul, il est statué qu'un parent a le devoir de garde. L'âge auquel un enfant peut rester seul dépend de plusieurs facteurs : son degré de maturité, la durée d'absence du parent et l'environnement dans lequel il est seul.

Une absence prolongée des parents ou des tuteurs, un environnement où la sécurité et les besoins du jeune ne peuvent être comblés facilement peuvent entraîner des incidents passibles de sanctions légales. De plus, il ne faut pas oublier que la décision de laisser un enfant seul doit être prise dans l'intérêt de celui-ci (apprentissage de son autonomie, responsabilisation, gain sur les plans de la confiance en soi et de l'estime de soi) et non dans celui du parent (négligence, incapacité de trouver une gardienne ou refus de payer pour le service de garde, etc.).

## Comment savoir si mon jeune est prêt ?

Tous les enfants ne sont pas automatiquement prêts à « se garder » seuls le jour de leur 12e anniversaire de naissance !

> *La première condition pour laisser votre enfant seul :*
> *qu'il soit lui-même prêt à rester seul !*

Cet énoncé va de soi. Si la demande vient de votre préadolescent, alors c'est signe qu'il est prêt et qu'il ressent le besoin d'avoir plus d'autonomie et d'indépendance. Sinon, avant de tenter l'expérience, demandez-lui s'il est d'accord. Même s'il vous dit oui, vous devrez en avoir le cœur net et essayer de cerner s'il en a la capacité, en observant son tempérament et ses réactions.

Voici des indices montrant que votre enfant est prêt à « se garder » :

* il est capable de s'organiser seul ;
* il n'a pas toujours tendance à s'ennuyer ;
* il peut suivre les consignes de façon responsable ;
* il sait comment réagir en situation d'urgence.

Certains enfants se sentent facilement inquiets, ils sont incapables de se tenir occupés (en solitaire) et ressentent constamment le besoin de vérifier si un adulte est présent. D'autres ont une imagination tellement fertile que le moindre bruit ou craquement prend des proportions angoissantes. Si c'est le cas de votre jeune, alors il serait prudent de prendre des précautions supplémentaires afin d'éviter que sa première expérience ne tourne au désastre.

Une des bonnes façons de vérifier si notre préadolescent est prêt, c'est de lui faire vivre de petites mises en situation et de le laisser trouver ses propres solutions. Par exemple :

✳ « Que ferais-tu si un verre se cassait ? »
✳ « Comment réagirais-tu en cas de panne d'électricité ? »
✳ « Si quelqu'un sonnait à la porte, que ferais-tu ? »
✳ « Si quelqu'un appelait, que lui dirais-tu ? »

L'important n'est pas tant d'obtenir la bonne réponse, mais de cerner comment votre enfant réagirait dans de telles situations. Serait-il angoissé ? inquiet ? calme ? confiant ? Des signes de nervosité ou d'inquiétude pourraient vous indiquer qu'il n'est pas prêt à faire ce pas ou que vous devez commencer très progressivement... Vous êtes la personne la mieux placée pour déterminer si votre jeune est disposé à entreprendre une telle démarche.

Dans tous les cas, il est toujours prudent d'entamer le processus par de très courtes périodes d'absence (30 minutes, 1 heure), qui pourront être augmentées graduellement, tout en précisant à votre jeune ce qu'il peut faire et ce qui lui est interdit. Cette méthode sécurise l'enfant, mais aussi (et surtout) les parents !

## Et s'il ne veut pas rester seul ?

Votre enfant ne veut pas rester seul à la maison ? Il refuse spontanément à chaque occasion ? Alors, *ne le forcez surtout pas*.

Il ne faut jamais laisser seul un enfant qui ne veut pas, même si vous avez réussi à le convaincre avec de bons arguments. Sa réticence reflète un manque de maturité ou une inquiétude qu'il faut respecter. Soyez patient, il finira par être prêt ou le demandera éventuellement de lui-même. Si ce n'est pas le cas, il serait peut-être judicieux de consulter afin de cerner ce qui l'insécurise tant.

## Que faut-il mettre en place pour assurer sa sécurité ?

Vous sentez que votre enfant est prêt à rester seul une petite heure à la maison ? Alors, la meilleure chose à faire est de lui en donner l'occasion ! C'est une manière de le responsabiliser et de lui montrer que vous avez confiance en lui. Il est recommandé de commencer par des absences de jour ; c'est plus sécurisant pour le jeune que les sorties nocturnes. La nuit, les repères changent et les choses deviennent souvent plus inquiétantes.

Malgré tout, et aussi raisonnable que puisse être votre enfant, il n'a pas la vigilance d'un adulte. Ce n'est donc pas un manque de confiance en lui que de prendre quelques précautions. Vous devez bien le préparer. Sans l'accabler de conseils en tous genres qui pourraient dévoiler vos propres inquiétudes, rappelez-lui les consignes et les recommandations à suivre. Expliquez clairement les directives et assurez-vous qu'il les comprend. Enfin, laissez bien à la vue tous les numéros de téléphone nécessaires en cas d'urgence ou s'il a besoin de communiquer rapidement avec un adulte.

Tout enfant seul à la maison devrait savoir :

* où vous êtes et comment vous joindre ;
* ce qui lui est interdit d'utiliser (cuisinière, outils, foyer, etc.) ;
* chez quel voisin aller en cas d'urgence ;
* comment joindre les services d'urgence : police, pompiers, ambulance (9-1-1) ;
* où se trouvent la trousse de premiers soins et les pansements ;
* quoi faire ou répondre si quelqu'un frappe à la porte ou si le téléphone sonne ;
* qu'il faut fermer les portes à clé et qu'il ne faut pas ouvrir aux inconnus.

Il est fortement conseillé aux parents d'appeler à la maison (surtout au début), et ce, pour le réconfort de tous !

## Mon préadolescent peut-il garder son frère ou sa sœur ?

Encore une fois, il n'y a pas d'âge minimal pour devenir gardien. Toutefois, même si votre enfant a assez de maturité pour rester seul, il n'est pas nécessairement prêt à garder un autre enfant. C'est toute une responsabilité, qu'un jeune de moins de 12 ans aurait probablement de la difficulté à assumer. Si l'enfant gardé a moins de 5 ans, âge où la supervision doit être constante et qui nécessite des soins plus particuliers, c'est assurément une responsabilité trop grande pour un préado.

Il n'est pas évident pour un jeune de 12 ans d'assumer l'autorité et de « se faire écouter » de son jeune frère ou de sa jeune sœur. Si vos enfants sont régulièrement en conflit, il n'est peut-être pas sain de placer le plus vieux en situation d'autorité : cela risque d'envenimer la situation. Il faut donc juger en fonction de la situation familiale. Comme parents, vous êtes le mieux placés pour décider du moment opportun pour confier une telle responsabilité à votre jeune.

### Les cours Gardiens avertis

Une bonne façon de préparer notre jeune au rôle de gardien, c'est de lui proposer de suivre le programme Gardiens avertis. Ce cours, d'une durée de 8 heures, est donné aux jeunes de 11 ans et plus qui font preuve de maturité et qui sont responsables. Il leur permet d'acquérir les connaissances de base pour prendre soin d'un enfant, leur montre comment réagir face aux problèmes ou aux situations courantes (colères, pleurs...), leur donne des trucs pour divertir les enfants gardés et pour rendre leur environnement sécuritaire. Les notions de secourisme sont également enseignées. L'obtention de la carte de compétence est à la discrétion du formateur, selon les résultats et le niveau de maturité de l'élève.

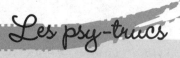
Les psy-trucs

1. S'assurer que notre enfant a assez de maturité pour « se garder » seul.
2. Vérifier s'il est lui-même prêt à rester seul. Surtout, ne pas le forcer à faire ce pas.
3. Commencer par de courtes périodes d'absence, de jour de préférence, et augmenter progressivement.
4. Faire la liste des choses interdites.
5. Dresser la liste des numéros de téléphone importants, dont le 9-1-1 et celui où il peut nous joindre.
6. Lui téléphoner de temps en temps pour s'assurer que tout va bien.
7. Ne pas tenir pour acquis qu'il peut garder son petit frère ou sa petite sœur.

# L'importance grandissante des amis dans sa vie

*Les questions que tout parent se pose :*

* **Quelle est l'importance des amis à la préadolescence ?**
* **Comment puis-je « influencer » mon enfant dans le choix de ses amis ?**
* **Comment réagir quand un copain n'a pas une bonne influence sur mon préadolescent ?**
* **Puis-je interdire à mon préado de fréquenter certains amis ?**

À la préadolescence, la socialisation est un aspect essentiel du développement de nos enfants. Bien entendu, à notre grand désarroi parfois, notre influence sur eux va décroître progressivement au profit de celle de leurs amis. Comment bien gérer cette situation en tant que parents, surtout quand l'influence des copains ne va pas dans le sens qu'on voudrait ?

### Quelle est l'importance des amis à la préadolescence ?

À cet âge, notre jeune n'est plus l'ami de tous les élèves de sa classe, comme ce pouvait être le cas au début de son primaire. Il se lie plutôt avec des copains qui lui ressemblent, basant ses choix sur sa personnalité et sur ses intérêts (loisirs, sports, musique, vêtements, etc.). Il a aussi de plus en plus tendance à fréquenter des jeunes des deux sexes.

*Des apprentissages essentiels*

Les amis permettent à nos enfants d'apprendre à collaborer, à partager, à résoudre des problèmes et à prendre en considération le point de vue des autres. Grâce aux amis ou à l'influence du groupe, les enfants se sentent « plus forts » ; ils sont motivés à surmonter leurs faiblesses et peuvent s'adapter plus facilement aux diverses situations nouvelles qui se présentent, des situations qu'ils n'oseraient peut-être même pas affronter tout seuls !

À la préadolescence, c'est l'aspect « identité » qui prend le plus d'importance dans les relations d'amitié. Pour notre enfant, les amis deviennent en quelque sorte des doubles qu'il idéalise et dans lesquels il se regarde, auxquels il se compare. Ils répondent également à son besoin d'appartenance à un groupe, un besoin qui augmente de 9 à 12 ans et qui atteint son apogée à l'adolescence. Au contact de ses amis, notre jeune apprend à se situer par rapport aux autres, à confronter ses idées et ses opinions à celles des autres, à argumenter, à s'affirmer et à gérer les conflits. Ce processus lui permet de prendre de l'assurance et de bâtir progressivement sa propre personnalité.

Les préadolescents ont donc besoin des amis pour partager leurs idées, leurs connaissances et leurs émotions. Sans copains de son groupe d'âge, le jeune se sent seul et rejeté. En tant que parents, nous devons encourager notre préadolescent à fréquenter des jeunes de son âge même si, parfois, nous avons l'impression que les amis deviennent plus importants que nous !

Donc, avoir des amis, c'est vital pour un jeune. Cela lui permet de partager ses passions, son vécu et, surtout, de trouver du réconfort dans les moments plus difficiles de sa vie (confier ses problèmes au sujet d'un « prof », parler de son frère ou de sa sœur qui lui tape sur les nerfs, par exemple). Avec ses copains, il parle de certains sujets sans crainte qu'ils lui fassent la morale ou le réprimandent (comme pourraient le faire des parents).

Voilà pourquoi, à la préadolescence, l'arrivé du ou de la *best friend* revêt une importance capitale. Les préadolescents ressentent de plus en plus le besoin de se confier, de parler à quelqu'un qui vit les mêmes choses qu'eux. Les heures passées au téléphone ou sur Internet sont un bel exemple de cette recherche d'échange, de compassion et d'empathie.

Certains parents se plaignent parce que leur préado leur préfère ses amis et qu'ils ne sont dorénavant plus importants dans sa vie. Ce n'est pas le cas. Avec ses copains, il reçoit de la compréhension, de la sympathie et de nombreux conseils. Pour un jeune, les relations amicales sont aussi importantes que l'apprentissage de la lecture. Cette socialisation l'amène à prendre une certaine distance par rapport à sa famille et à découvrir de nouvelles règles à respecter pour se faire aimer. Dans ses relations d'amitié, le jeune comprend que l'amour n'est pas gratuit ni inconditionnel : il doit se comporter en respectant certaines règles s'il veut des amis.

## Les frères et les sœurs ne sont pas des amis

Il est important que votre enfant puisse se lier d'amitié à l'école ou lors d'activités parascolaires (sports, loisirs...). Il ne faut surtout pas croire qu'un enfant qui a plein de frères et de sœurs peut se passer d'amis. La relation amicale est très différente de la relation fraternelle. De plus, votre jeune a besoin de s'identifier à des jeunes de son âge et de se comparer à eux.

## Mon enfant n'a pas d'amis

Certains jeunes éprouvent de la difficulté à se faire des amis et souffrent énormément de cette situation. Il ne s'agit pas d'avoir nécessairement tout plein de copains ! Par exemple, pour un enfant réservé, introverti ou timide, un ou deux amis peuvent être suffisants. Toutefois, il y a problème lorsqu'un enfant n'a aucun ami et qu'il est toujours seul dans la cour d'école, car cela peut affecter son équilibre et son développement personnel. Cette situation peut aussi entraîner des difficultés scolaires puisque, bien souvent, les amis constituent une des premières sources d'intérêt et de motivation à l'école. Le jeune peut percevoir ce manque d'amis comme un signe de rejet et nourrir une image négative face à lui-même. Si le problème persiste, il faut s'en inquiéter, essayer d'en trouver la cause et intervenir. Parfois, l'aide d'un professionnel peut permettre au jeune de surmonter ses difficultés sociales et de trouver des solutions.

## Comment puis-je « influencer » mon enfant dans le choix de ses amis ?

Le premier enseignement au sujet de l'amitié est d'apprendre à nos enfants à interagir avec les autres. Si, au début de l'école primaire, ce désir de se mouler aux autres est tout de même présent, c'est souvent lorsque nos jeunes entrent dans la préadolescence que les amis nous font le plus peur en tant que parents. En fait, pour être bien préparés, il est bon de s'intéresser aux amis de nos enfants dès... qu'ils en ont ! Et s'intéresser à eux, ce n'est pas que faire un interrogatoire sur chaque ami et sa famille, mais bien trouver pourquoi notre enfant aime être en leur compagnie.

Il est bon d'inviter les amis de nos jeunes à la maison afin de voir comment ils jouent et s'entendent ensemble. « J'ai constaté que ma fille se pliait à tous les désirs de son amie, me confiait récemment une mère. Elle la laissait décider en tout temps ! Pour ma fille, c'était la façon d'appliquer à la lettre ma consigne : "Tu dois être gentille avec ton amie." J'ai donc revu cette notion avec elle. En fait, je voulais lui faire comprendre qu'il faut parfois faire des compromis, comme jouer à un jeu qui plaît plus à notre amie qu'à nous-mêmes parce qu'elle ne l'a pas chez elle, mais j'avais oublié de lui parler du respect de soi. Elle doit pouvoir faire valoir son opinion et décider à son tour. En fait, j'ai compris qu'il fallait que j'aide ma fille à comprendre les rouages de l'amitié de façon qu'elle ne s'efface pas toujours, sans pour autant être déplacée ! »

Le temps que nos jeunes passent avec leurs amis à la préadolescence leur permet de solidifier leur propre identité. Cet apprentissage nécessite de la supervision de notre part, notamment en ce qui concerne leur sélection. Évidemment, on ne peut pas forcer l'amitié et il n'est pas souhaitable de « choisir » les amis de nos jeunes. Il faut les laisser construire leurs amitiés à leur manière et selon leurs affinités.

Cependant, notre devoir de protection en tant que parents nous incite à garder un œil ouvert et nous permet même d'exercer une certaine « influence » sur leurs fréquentations. Nous devons nous assurer que nos enfants ne subissent pas de mauvaises influences, qu'ils ne sont pas soumis ou victimes dans leurs relations et que celles-ci sont équilibrées.

Voici quelques suggestions à ce sujet :

* **Inviter ses amis.** Encouragez votre enfant à inviter ses amis à la maison pour être en mesure de les connaître, de les observer et de vous faire une opinion juste sur eux.

* **Faire le taxi.** Offrez régulièrement à vos enfants et à leurs amis de les reconduire. Cela vous permettra de jaser avec eux en chemin et de mieux les connaître.

* **S'intéresser à ses amis.** Informez-vous d'eux, de leurs activités, de ce qu'ils font ensemble à la récréation, dans la cour d'école... Discutez-en au repas !

* **Favoriser les amis de son âge.** Tentez de faire en sorte que votre jeune ait toujours des amis de son groupe d'âge. Les copains plus vieux ont des « permissions » et des comportements qui ne sont peut-être pas encore adéquats pour votre enfant.

* **Encourager les rencontres.** Guidez votre enfant vers des activités qui lui permettront de rencontrer des jeunes ayant les mêmes intérêts que lui.

* **Parler des valeurs familiales.** Lorsque les parents identifient clairement (et ce, dès la petite enfance) ce qui est acceptable ou pas, cela permet à l'enfant de choisir, plus facilement et tout naturellement, des amis qui correspondent à ces mêmes valeurs. Un enfant pacifique, par exemple, aura naturellement tendance à laisser de côté les jeunes qui manifestent de l'agressivité.

## Comment réagir quand un copain n'a pas une bonne influence sur mon préadolescent?

Au fur et à mesure que nos enfants vieillissent, ils choisissent ou adaptent progressivement leur coiffure, leurs vêtements, leur musique et leurs activités en fonction des amis qu'ils fréquentent. Pour montrer leur appartenance au groupe, certains se laisseront influencer et prendront certaines décisions, certains risques ou adopteront des comportements dans le seul but de s'intégrer ou de conserver leurs amitiés. C'est tout à fait normal puisqu'ils expérimentent ainsi leurs limites et peuvent, par le fait même, s'ajuster, retirer de cette situation ce qui leur convient ou non et, graduellement, bâtir leur propre identité.

Il est également possible que notre enfant fréquente un ami dont les comportements et les valeurs ne correspondent pas à ce que l'on désire lui inculquer ou affiche des attitudes qu'on ne tolère pas à la maison (être impoli, faire preuve de violence verbale ou physique, quitter sans prévenir). *Dans le seul but de conserver cette amitié*, notre préado sera peut-être tenté de l'imiter. Bien que cette réaction soit normale, elle peut très certainement nous inquiéter comme parents.

Mais comment doit-on réagir dans un tel cas? Une chose est sûre, il faut faire preuve de tact. Il est irréaliste de lui interdire systématiquement de voir ce copain, puisqu'ils vont probablement se côtoyer à l'école. L'important, c'est de bien lui expliquer la situation, d'identifier les comportements que vous jugez inacceptables chez son ami et de lui rappeler les valeurs familiales que vous avez toujours prônées. Étant en contact avec eux, certains vont essayer de les copier *dans le but d'entretenir et de conserver cette amitié*. C'est une réaction normale. Une telle intervention, faite dans le calme et le respect, sera peut-être même suffisante pour que votre enfant rappelle lui-même son ami à l'ordre au sujet des comportements fautifs, ou qu'il s'éloigne de lui et mette fin lui-même à cette amitié.

## L'amour à 12 ans

Voici une situation qui embête plusieurs parents : leur enfant de 12 ans veut entretenir (précocement) une relation, disons, plus amoureuse que d'amitié avec un ami ou une amie. Comment réagir ?

En tant que parents, nous devons demeurer vigilants devant cette situation : ces jeunes ne sont pas encore des adolescents et nous devons les « recadrer » comme il se doit. Trouver drôle que notre enfant soit en couple, amoureux, c'est un peu l'encourager à vivre une situation pour laquelle il n'est pas encore prêt et ne possède pas la maturité requise.

Si certains parents acceptent que les amis de leurs enfants affichent des comportements inacceptables ou les tolèrent, c'est, dans la plupart des cas, par manque de fermeté ou parce qu'ils encadrent peu leurs jeunes.

Voici quelques conseils pour bien encadrer votre préadolescent sur le plan des relations :

* Discutez avec lui des *comportements* reprochés et rappelez-lui les valeurs que vous prônez.
* Prêtez attention aux critiques. Si vous n'êtes pas d'accord avec certains comportements d'un ami, n'hésitez pas à le dire à votre enfant, mais veillez à mettre l'accent sur le comportement, et non sur la personne. Les enfants sont sensibles aux critiques que l'on émet face à leurs amis et aux commentaires tels que : « Je n'aime pas ton ami Philippe », « Mélanie n'est pas une bonne amie pour toi ».
* Faites appel à son jugement : il sera peut-être ainsi plus enclin à s'éloigner ou à mettre fin lui-même à la relation d'amitié si son ami continue de manifester des comportements qui vous semblent inacceptables.

* Laissez passer le temps. Les amitiés à cet âge sont souvent brèves, surtout lorsqu'un enfant admet qu'il y a un problème. Les jeunes finissent souvent par réaliser eux-mêmes que certains amis ne leur conviennent pas.

* Limitez l'accès à cet ami (les visites chez lui, les invitations à venir à la maison, par exemple) en expliquant bien pourquoi.

## Puis-je interdire à mon préado de fréquenter certains amis ?

Et si, malgré tout, notre enfant persiste à fréquenter cet ami qui exerce une mauvaise influence, que peut-on faire ? Encore une fois, il est délicat de lui interdire systématiquement de fréquenter un ami, et il faut très certainement le faire avec tact et le plus calmement possible. Une telle directive appliquée de façon trop brusque ou autoritaire risque d'engendrer chez lui un sentiment d'injustice et de colère qui l'amènera peut-être à s'opposer à votre autorité en maintenant, coûte que coûte, cette amitié. Il est donc préférable de lui interdire d'aller chez ce copain ou de le recevoir à la maison en prenant soin de bien lui expliquer les raisons qui nous poussent à agir de la sorte : « Je ne veux plus que tu reçoives Mathieu ou que tu le visites parce qu'il t'incite à être impoli. »

Dans les cas plus inquiétants, il faut vérifier auprès du personnel de l'école comment la situation se présente en classe et demander à l'enseignant titulaire d'intervenir, si cela est nécessaire.

C'est important de bien expliquer la situation à notre enfant, de nommer les comportements que nous jugeons inacceptables chez ce copain. Cela lui permettra d'établir par lui-même les « critères » à adopter pour se faire des amis qui conviennent à sa personnalité et à ses valeurs.

Évidemment, ces situations ne sont guère intéressantes, tant pour les parents que pour les enfants, mais si les valeurs ont été prônées, communiquées et intégrées harmonieusement et au quotidien au sein de la famille, le jeune réalisera très rapidement que c'est pour son bien et, avec le temps, il saura l'accepter.

Pour prévenir ce genre de problème, il est essentiel d'éduquer notre enfant, dès qu'il est tout jeune, sur les comportements qui ne sont pas acceptés ni même tolérés dans la famille et dans la société. Il sera ainsi plus en mesure d'identifier de lui-même ce qui est acceptable ou pas et de se faire des amis qui correspondent à ces valeurs. Devant des gestes d'impolitesse ou d'agressivité de leur camarade, certains enfants ont même le réflexe de lui dire que ce n'est pas une bonne idée. Surtout, ils ne seront pas portés à s'en faire un ami s'il continue à afficher de tels comportements.

## Les psy-trucs

1. Prendre conscience du fait que les amis sont essentiels pour le développement de notre préadolescent. C'est à travers eux qu'il forge son identité et comble son besoin d'appartenance à un groupe.

2. Le laisser choisir ses amis. Il doit construire ses propres amitiés, à sa manière et selon ses affinités. Ses «expérimentations» lui permettront de façonner sa propre identité.

3. Encourager notre jeune à inviter ses amis à la maison pour être en mesure de les connaître, de les observer et de se faire une juste opinion d'eux.

4. Favoriser des copains du même groupe d'âge que notre préado.

5. Parler ensemble des valeurs familiales et de ce qui est acceptable ou pas. Cela permet au jeune de choisir, plus facilement et tout naturellement, des amis qui correspondent à ces valeurs.

6. Prêter attention aux critiques. Si l'on n'est pas d'accord avec certains comportements d'un ami, ne pas hésiter à le dire à notre jeune, mais en mettant l'accent sur le comportement, et non sur la personne.

7. Discuter des *comportements* reprochés et rappeler les valeurs prônées dans la famille. Il est fort possible que notre préado s'éloigne du jeune au comportement indésirable et mette fin lui-même à la relation d'amitié.

# La transition vers l'école secondaire

*Les questions que tout parent se pose :*

* **Quels changements importants surviennent au début de l'école secondaire ?**
* **Pourquoi est-ce une période perturbatrice pour mon enfant ?**
* **Quelles sont les plus grandes craintes de nos jeunes ?**
* **Comment rassurer mon préadolescent et le préparer pour l'école secondaire ?**
* **Quels sont les signes de détresse d'un jeune qui ne s'adapte pas bien à l'école secondaire ?**
* **Dois-je encore aider mon préadolescent à faire ses devoirs ?**

Le passage de l'école primaire à l'école secondaire constitue un changement important pour nos jeunes : nouvel établissement, nouveau programme, nouveaux enseignants, nouveaux amis... De plus, nos enfants passent alors du statut d'« anciens », de « plus grands » ou de « plus vieux » de leur école primaire à celui de « nouveaux », de « plus jeunes » et, souvent, de « plus petits ». Pas étonnant que cette transition soit stressante et bouleversante !

## Quels changements importants surviennent au début de l'école secondaire ?

La rentrée au secondaire est une grande étape dans la vie de nos enfants. Même s'ils ont bien hâte de se retrouver dans la cour des grands, plusieurs d'entre eux sont inquiets face aux bouleversements et au nombre important de changements que cette transition implique. En voici quelques-uns :

✳ **Nombre d'enseignants et de classes.** Alors qu'au primaire, il n'y avait qu'un seul « prof » et qu'une seule classe, au secondaire, nos enfants se retrouvent devant 5, 6 ou 7 enseignants différents et doivent désormais changer de classe pour chaque matière.

✳ **Encadrement différent.** L'encadrement diffère en raison des horaires, des exigences, des matières et des types de travaux imposés. Nos jeunes sont moins supervisés qu'au primaire ; ils doivent dorénavant gérer leur emploi du temps et leurs travaux de façon plus autonome. Ils auront probablement besoin d'argent de poche ; d'ailleurs, la majorité d'entre eux mangeront à la cafétéria le midi.

✳ **Réorganisation et stress !** Au secondaire, nos jeunes se doivent d'être plus organisés : avoir les bons livres pour chaque cours de la journée, prévoir leurs déplacements de classe en classe, gérer leur temps, leur casier et sa combinaison ainsi que la quantité et la séquence des travaux de l'ensemble des matières. La tenue de leur agenda constitue d'ailleurs un nouvel apprentissage : ils doivent y indiquer les dates de remise des travaux, des devoirs, des examens, les temps d'étude, les activités parascolaires, les réunions d'équipe, etc. Bref, cette adaptation génère beaucoup de stress, surtout au premier trimestre.

## Pourquoi est-ce une période perturbatrice pour mon enfant ?

Le passage du primaire au secondaire a de quoi rendre nos jeunes fébriles ou tendus. C'est un peu comme un changement d'emploi ou d'entreprise pour nous. Cette transition comporte une période d'adaptation plus ou moins longue : non seulement nos jeunes changent d'école, mais ils entrent également dans le monde de la *pré-adolescence*.

Pour plusieurs d'entre eux, les changements relatifs à la *vie sociale* sont encore plus inquiétants que l'aspect scolaire lui-même. Nos enfants perdent alors une partie de leurs amis du primaire et doivent se créer une place dans un nouveau groupe. Cette adaptation est d'autant plus difficile pour les jeunes qui avaient de la difficulté à se faire des amis au primaire.

De plus, certains problèmes, bien qu'ils puissent exister au primaire, deviennent plus importants au secondaire : intimidation, drogue, école buissonnière, délinquance, entre autres. La plupart des jeunes sauront rester loin de tout cela, mais pour quelques-uns, la pression sera plus forte et ils auront tendance à céder pour préserver leurs nouvelles amitiés.

Bref, le passage au secondaire est une étape qui perturbe nos jeunes parce qu'elle nécessite une bonne dose d'adaptation, à une période de leur vie – la puberté – déjà très chargée sur le plan émotif en raison des bouleversements physiques, sociaux et affectifs qu'elle comporte. Pas étonnant que ce soit une des étapes les plus marquantes et, parfois, difficiles de la vie des jeunes !

## Quelles sont les plus grandes craintes de nos jeunes ?

L'entrée au secondaire est une étape charnière qui génère de nombreuses inquiétudes, peurs ou angoisses chez nos enfants. Voici les craintes les plus communes chez les jeunes qui entament leur secondaire :

* Devoir subir une initiation (une peur qui est alimentée par des rumeurs et des histoires exagérées).
* Être intimidé par les anciens, les plus grands (peur de se faire bousculer, d'être sur leur liste noire).
* Arriver dans une gigantesque école et s'y perdre.
* Changer de local pour chaque matière et arriver en retard en classe.
* Ne pas avoir d'amis, ne pas pouvoir s'intégrer.
* Ne pas retrouver son casier ou avoir de la difficulté à ouvrir son cadenas.
* Avoir plusieurs enseignants, devoir changer d'enseignant pour chaque matière, ne pas avoir de « prof » attitré et de confiance.

* Avoir trop de devoirs et de travaux (une peur liée au nombre d'enseignants).
* Ne pas avoir son propre pupitre (pour remiser leurs effets) et oublier leurs livres et leurs cahiers.

## Comment rassurer mon préadolescent et le préparer pour l'école secondaire ?

Au moment d'entamer cette nouvelle aventure scolaire, les élèves sont encore bien jeunes. Certains manquent de maturité et de préparation, et sont parfois laissés à eux-mêmes. Notre rôle comme parents est de soutenir nos enfants et de les préparer mentalement à cette nouvelle étape. Un des meilleurs moyens de diminuer leur stress est de les *informer*, de répondre à leurs questions, afin qu'ils sachent à quoi s'attendre.

### La visite de l'école

Il est vrai qu'une école secondaire, c'est grand ! La crainte de s'y perdre, de ne pas retrouver sa classe ou son casier et d'arriver en retard en classe est très commune et normale, c'est pourquoi la plupart des établissements scolaires planifient des visites guidées. Cette visite est primordiale ; elle permet ensuite aux enfants de se représenter mentalement les lieux qu'ils fréquenteront et d'éliminer les craintes engendrées par l'inconnu. Assurez-vous que votre enfant ne la manque pas !

### Enseignant principal ou tuteur

Malgré le nombre important d'enseignants, rassurez votre enfant en lui expliquant que ce n'est qu'une question de temps pour qu'il puisse tous les connaître. Dites-lui qu'il est normal qu'il en aime certains plus que d'autres, et que quelques-uns d'entre eux deviendront pour lui des personnes-ressources en cas de besoin. D'ailleurs, dans la plupart des écoles, les élèves ont un *tuteur* qui agit comme « enseignant responsable » : il accompagne l'élève dans son cheminement ; le jeune peut se diriger vers lui en cas de problème ou d'interrogation.

### Il n'est pas seul!

Rassurez votre enfant : il ne sera pas tout seul à vivre la rentrée scolaire et à être inquiet. Tous les élèves de son niveau auront les mêmes craintes, craintes qui disparaîtront très rapidement. Le fait de terminer le cours et de se déplacer d'une salle à l'autre *tous ensemble*, les quelque trente élèves en même temps, devrait le rassurer concernant ses craintes de se perdre dans l'école.

### Le soutien parental

Il ne faut pas penser que notre enfant est capable d'affronter seul cette transition vers l'école secondaire. *Il a toujours besoin de notre soutien;* nous devons l'aider à s'adapter et nous assurer qu'il ne perd pas sa motivation.

Malheureusement, bien des parents associent l'entrée au secondaire avec l'arrêt de leur appui sur le plan scolaire ou de leur supervision. «Ils sont grands maintenant!» Ils ne se préoccupent donc plus de leurs travaux ni de leurs devoirs; ils ne les font plus étudier et ne regardent plus leur agenda.

Si nous profitons de ce passage au secondaire pour laisser notre enfant s'organiser tout seul, il pourrait l'interpréter comme un désintérêt de notre part, perdre sa motivation et être alors tenté de négliger ses études. Le passage du primaire au secondaire n'est pas une coupure, mais une *transition*, alors il ne faut pas tout cesser du jour au lendemain! Nos jeunes ont encore besoin de sentir que leurs parents sont derrière eux (voir «Nos préados et l'école», à la page 47).

### Acquérir de l'autonomie

Comme notre jeune est moins encadré à l'école secondaire qu'il ne l'était au primaire, il aura davantage besoin de faire preuve de débrouillardise et d'acquérir une bonne méthode de travail. La meilleure préparation sera donc de le rendre le plus autonome possible.

Durant l'été qui précède le secondaire, essayez de donner plus de responsabilités à votre enfant afin qu'il apprenne à mieux organiser son temps. Confiez-lui des tâches sur une *base hebdomadaire*, par exemple tondre la pelouse, prendre soin de la piscine ou sortir les ordures ménagères. C'est certainement plus efficace que de lui demander de faire cette tâche à l'instant même !

Il est important également de favoriser son autonomie en le laissant prendre des décisions. Au secondaire, votre préadolescent devra faire des choix et si vous l'habituez à en faire (en le guidant, bien sûr), alors ce sera plus facile pour lui. Les élèves qui éprouvent le plus de difficulté à s'adapter au secondaire sont les jeunes immatures qui s'appuient encore beaucoup sur les adultes pour avancer, les enfants qu'on a surprotégés ou qui sont malhabiles sur le plan social.

### Soyez patient et à l'écoute

L'adaptation au secondaire risque de susciter des difficultés, mais ces difficultés sont souvent temporaires. En tant que parents, nous devons être patients, compréhensifs et laisser à nos jeunes le temps de s'adapter. Un échec à un examen, des résultats scolaires médiocres, une baisse de motivation, ça peut arriver ! Le premier bulletin du secondaire est parfois bien décevant et peut refléter cette période d'ajustement, si exigeante. Faites ressortir le côté positif afin d'éviter que votre enfant se décourage et rassurez-le, car ce n'est, bien souvent, qu'une question de temps et d'adaptation. Essayez de saisir ce qui ne va pas, quelles sont les embûches, et présentez-lui les solutions possibles. Le but, c'est de l'encourager à persévérer.

### Quels sont les signes de détresse d'un jeune qui ne s'adapte pas bien à l'école secondaire ?

Tous les jeunes ne s'adapteront pas de la même façon à cette transition. Pour certains, ce sera particulièrement ardu, et ils seront soumis à une période de stress ou d'angoisse très intense. Quelques indices peuvent révéler des difficultés d'adaptation chez notre enfant :

* maux de tête ;
* vomissements sans raison apparente ;
* maux de ventre ;
* problèmes de sommeil ;
* manque d'appétit ;
* hypersensibilité, pleurs ;
* crises de colère, agressivité ;
* détérioration de ses relations avec ses amis ;
* manque d'intérêt pour les activités scolaires ;
* isolement.

Si vous observez plusieurs de ces signes chez votre préadolescent, il y a lieu de s'interroger sur son bien-être. Ayez avec lui une discussion ouverte et tentez de comprendre la situation qu'il vit, les problèmes qui l'affectent. N'hésitez pas à communiquer avec son tuteur ou avec le personnel enseignant. Ils connaissent bien le milieu scolaire de votre enfant, ils auront peut-être cerné les mêmes signes de détresse chez lui et pourront proposer des solutions. Ces difficultés ne doivent jamais être sous-estimées, car elles peuvent s'amplifier rapidement et mener à des problèmes plus importants encore. N'hésitez pas à demander l'aide d'un psychologue, au besoin.

## Dois-je encore aider mon préadolescent à faire ses devoirs ?

Comme je l'ai mentionné précédemment, il faut éviter de profiter de son passage à l'école secondaire pour laisser notre jeune s'organiser tout seul, et cela inclut la période des devoirs. Notre préadolescent a encore besoin de notre encadrement pour ses travaux et ses devoirs. Ce n'est évidemment plus nécessaire d'être constamment à ses côtés, mais il a toujours besoin qu'on s'intéresse à ce qu'il fait, aux résultats qu'il obtient, aux apprentissages qu'il intègre. Bref, soyez encore présent et montrez-lui que vous avez à cœur ce qu'il vit quotidiennement. Il est tout aussi important de vous impliquer dans la vie scolaire de votre jeune, de participer, entre autres, aux remises des bulletins et aux réunions prévues avec les enseignants.

Bien que nos préadolescents ressentent de plus en plus le besoin d'être autonomes et indépendants, ils ont encore besoin de savoir qu'ils peuvent compter sur nous et de sentir que nous les appuyons dans cette grande étape de leur vie.

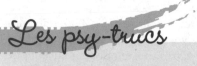

**Les psy-trucs**

1. Prendre conscience du fait que le passage de primaire au secondaire constitue un changement *important* pour notre jeune : nouvelle école, nouveau programme, nouveaux enseignants, nouveaux amis.

2. Être à l'écoute de notre jeune : le secondaire représente tout un bouleversement, et cela peut provoquer chez lui des inquiétudes, des craintes et des angoisses.

3. Aborder les sujets qui le préoccupent. Fournir le plus de renseignements possible sur ce qui l'attend afin de minimiser l'inconnu, si inquiétant pour lui.

4. S'assurer qu'il visite son école secondaire avant la rentrée ; c'est une des interventions les plus rassurantes.

5. Préparer notre jeune en le rendant le plus autonome et responsable possible.

6. Ne pas profiter de son passage au secondaire pour laisser notre enfant s'organiser tout seul. Il a encore besoin de notre encadrement.

7. Continuer de s'intéresser à sa vie scolaire (devoir, rencontres parents-enseignants, activités parascolaires, etc.).

8. Consulter le personnel enseignant ou un professionnel de la relation d'aide si on observe chez notre enfant des signes liés à une difficulté d'adaptation.

# Autres sujets applicables aux préados (9-12 ans) et traités dans le tome 3 des Psy-trucs

Guider son enfant vers l'autonomie . . . . . . . . . . . . . . . . . . . . . . . . . . .   7

Comment donner le goût de l'effort à son enfant? La persévérance .   105

Papa et maman se séparent! . . . . . . . . . . . . . . . . . . . . . . . . . . . . . .   151

Il n'aime pas son enseignant . . . . . . . . . . . . . . . . . . . . . . . . . . . . .   165

Une timidité gênante . . . . . . . . . . . . . . . . . . . . . . . . . . . . . . . . .   173

La famille recomposée, tout un défi! . . . . . . . . . . . . . . . . . . . . . . .   199

Le stress chez l'enfant . . . . . . . . . . . . . . . . . . . . . . . . . . . . . . . . .   219

# Médiagraphie

**Livres**

BÉLIVEAU, Marie-Claude. *Dyslexie et autres maux d'école: quand et comment intervenir*, Montréal, Éditions du CHU Sainte-Justine, coll. « La collection du CHU Sainte-Justine pour les parents », 2007.

BENNETT, Holly et Teresa PITMAN. *De 9 à 12 ans : les préadolescents*, traduit de l'anglais par Dominique Chauveau et adapté pour le Québec, Laval, Éditions Guy Saint-Jean, coll. « Collection pas à pas », 2006.

BENOIT, Joe-Ann. *La discipline, du réactionnel au relationnel*, Montréal, Les Éditions Quebecor, coll. « Famille », 2008.

CHARLET-DEBRAY, Anne. *La psychologie de l'enfant*, Paris, Le Cavalier bleu, 2008.

DESTREMPES-MARQUEZ, Denise et Louise LAFLEUR. *Les troubles d'apprentissage : comprendre et intervenir*, Montréal, Éditions de l'Hôpital Sainte-Justine, coll. « Parents. Éducation et société », 1999.

DUCLOS, Germain. *Guider mon enfant dans sa vie scolaire*, Montréal, Éditions du CHU Sainte-Justine, Centre hospitalier universitaire mère-enfant, coll. « La collection du CHU Sainte-Justine pour les parents », 2006.

_____. *L'estime de soi, un passeport pour la vie*, Montréal, Éditions du CHU Sainte-Justine, coll. « La collection du CHU Sainte-Justine pour les parents », 2010.

DUCLOS, Germain et Martin DUCLOS. *Responsabiliser son enfant*, Montréal, Éditions du CHU Sainte-Justine, Centre hospitalier universitaire mère-enfant, coll. « La collection du CHU Sainte-Justine pour les parents », 2005.

GEORGE, Gisèle. *Ces enfants malades du stress*, Paris, Anne Carrière, coll. « Essai », 2002.

Joyeux, Henri. *C'est quoi la puberté?: dialogue avec les 10-13 ans*, Paris, François-Xavier de Guibert, coll. « École de la vie et de l'amour », 2003.

Langis, Robert. *Savoir dire non aux enfants*, sixième édition, Montréal, Les Éditions Quebecor, coll. « Famille », 2008.

Larouche, Gisèle. *Du nouvel amour à la famille recomposée : la grande traversée*, Montréal, Les Éditions de l'Homme, 2001.

Lavigueur, Suzanne, Ph. D. *Ces parents à bout de souffle*, Montréal, Les Éditions Quebecor, coll. « Famille », 2009.

Linder, Marie-Dominique et Théo Linder. *Familles recomposées – guide pratique*, Paris, Hachette, coll. « Réponses pratiques », 2004.

Robert, Jocelyne. *Full sexuel : la vie amoureuse des adolescents*, illustrations de Jean-Nicolas Vallée, Montréal, Les Éditions de l'Homme, 2002.

Robichaud, Maria G. R. *L'enfant souffre-douleur*, Montréal, Les Éditions de l'Homme, coll. « Parents aujourd'hui », 2003.

Valet, Gilles-Marie. *L'enfant de 6 à 11 ans : l'âge de raison, une étape cruciale*, Paris, Larousse, coll. « Poche », 2011.

## Site Internet

Centre d'excellence pour le développement des jeunes enfants. *Encyclopédie sur le développement des jeunes enfants*, [en ligne], [www.enfant-encyclopedie.com].

## Remerciements

*Un immense merci à mon conjoint Michel Lavoie pour sa contribution essentielle à l'écriture de ce livre. Merci pour ton soutien et ta grande motivation tout au long de cette belle aventure!*
*Affectueusement xx*


*Je tiens à remercier mes enfants, Gabrielle, Louis-Alexandre et Antoine, qui me permettent chaque jour de grandir comme mère et comme individu. Vous êtes sans contredit ma plus grande source de fierté.*
*Avec amour xx*

# Table des matières

Préface .................................................... 7

La puberté, une période de grands changements ................ 11
Mon jeune est-il accro à la techno ?
    (Ordinateur, jeux vidéo, cellulaire...) ........................ 23
Nos préados et l'école ......................................... 47
Mon préadolescent est impoli et irrespectueux ................. 71
Le mensonge................................................. 83
Le stress et l'anxiété de performance chez nos jeunes .......... 95
L'hypersexualisation.......................................... 113
Nos préados et l'argent de poche.............................. 123
L'intimidation chez nos jeunes ................................ 133
Il défie notre autorité !
    La discipline ............................................. 151
Le déficit d'attention et l'hyperactivité à la préadolescence ...... 169
Peut-il « se garder » seul à la maison ?......................... 185
L'importance grandissante des amis dans sa vie ................ 195
La transition vers l'école secondaire .......................... 207

Médiagraphie ................................................ 219

## Suivez-nous sur le Web

Consultez nos sites Internet et inscrivez-vous à l'infolettre pour rester informé en tout temps de nos publications et de nos concours en ligne. Et croisez aussi vos auteurs préférés et notre équipe sur nos blogues!

EDITIONS-HOMME.COM
EDITIONS-JOUR.COM
EDITIONS-LAGRIFFE.COM

**Marquis imprimeur inc.**

Québec, Canada
2011

Achevé d'imprimer au Canada
sur papier Enviro 100% recyclé